Best Time

白马时光

WE

When you and I become us

辛夷坞

著

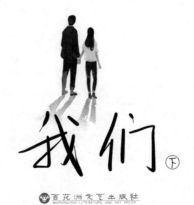

我们 ㊦

百花洲文艺出版社
BAIHUAZHOU LITERATURE AND ART PRESS

——爱情里最美好的事莫过于，“你”和“我”最终成为“我们”。

我们

目录

Contents

WE

第二十四章

爱怎会没有束缚

WE

Chapter Twenty-four

当祁善的眼泪停歇，重新得以主宰自己的情绪，她做的头一件事，是把戴在脖子上的那块玉和菩提子一块摘了下来，放在周瓒的手边。

“你什么意思？”周瓒冷冷问道。

“嘉楠阿姨把这块玉给我，说是让我替你先收着。有一天如果你遇到了真心喜欢的女孩再还给你不迟。”祁善接着说，“你会遇到很多女孩，有没有真心，只有你自己知道。”

周瓒也来了情绪，“每次生气都拿这些东西撒气，我没你那么幼稚！”

祁善垂首，脸上泪痕残留，却已无伤感，“今晚你不要住在我家了——好吗？”

周瓒用了几秒钟来消化这句话，确定祁善不是戏言之后，他咬牙站起来要走，恶狠狠道：“你别后悔！”

“把你的玉拿走。你不要就还给嘉楠阿姨，省得糟蹋了好东西。”祁善再次提醒，她的话像对一个不相干的人说一件不相干的事。

周瓒居高临下，脸上全是不屑，“我妈的玉就算了，那串菩提子本来也不值钱，被你贴身戴了那么久，颜色都变了，送出去谁还肯要？”

祁善一愣，转身拉开床头柜的抽屉，翻找了一会。她找不到她的小剪刀，两手一用力，生生把系在玉上的菩提子拽了下来。绳结不受大力，断口飞溅出来的散珠落得满地都是。她把手里剩余的珠串扔进垃圾篓，递给他一个光秃秃的吊坠。

周瓒气得眼冒金星，一把抓过玉坠，指着祁善的鼻子骂道：“你有本事就把从小到大我送你的东西统统都扔了，一件都不许留！”

到了晚上，周瓒的行李基本收拾完毕。沈晓星敲了他的房门走进来。

“善妈我正想跟你说……”

周瓒看着沈晓星手里的一大包东西，忽然没了把话说下去的心思。那个黑色的垃圾袋鼓鼓囊囊的，手一捞下去，依稀能看到整套哆啦A梦限量版木版画、发黄的贴纸、桃木小剑、贝壳做的项链、精致的核雕、碧玉雕的蝉、竹螳螂、漆器小首饰盒、檀木镯子、蜜蜡手串、古董胸针，还有散落开来的菩提珠子……他都不记得自己送过祁善那么多东西，有些年代太过久远，早就忘在脑后。它们过去深藏在祁善的大斗柜里，像潜伏的幽灵，现在才一一重见天日。

“我刚才在门口的垃圾堆里捡回来的。她不要了，我再来听听你的意思。真打算扔掉？”沈晓星问周瓒。他们后来吵的那几句声音实在太大，沈晓星和祁定在楼下开着电视机也被惊动了。

周瓒接过那一大包东西，也不说要，也不说扔。在沈晓星面前，他露出了些许难过，闷声道：“是她不要的，跟我有什么关系？”

“好。”沈晓星点点头，又说，“阿瓒，听说你这两天要走，走之前陪陪你爸也好。”

“善妈，我不想一个人留在加拿大了。”周瓒像个孩子一样抱怨。

“这是你答应过你妈妈的事。自己做的决定不应该随便反悔。”沈晓星平静道。

“你也希望我走？”周瓒坐到椅子上，屈着手指插进头发里，赌气道，“小善讨厌我，你也不肯帮我！”

沈晓星又气又好笑。她是真心疼周瓒的。他刚从医院出来，抱在怀里小小的一点，自己亲妈没有母乳，沈晓星一边喂一个，明显比较孱弱的周瓒总被祁善用脚丫子蹬得嗷嗷直哭。邻居们有些以为她生了对龙凤胎，可他们毕竟不是亲兄妹，否则也少了许多烦恼。她拍了拍周瓒的手臂，叹息道："我不想知道你们为什么吵。你了解她，小善不是个容易做决定的人，可她主意一旦拿定了，谁都没有办法，除非她自己转过弯来。我想你们都开开心心的，但如果小善希望你给她一点空间，希望你尊重她的决定。"

两天后，周瓒飞回加拿大。春节是冯嘉楠飞过去和周瓒一块过的。周瓒那个在温哥华生活了二十几年的姑婆年纪大了，根本无力管束后辈，周瓒早搬出来自己住了。冯嘉楠这次发现周瓒和一个乌克兰裔的女孩走得很近，她到的第二天就撞见那女孩过来给周瓒送吃的，对方竟然有他住处的钥匙。冯嘉楠提醒儿子要注意自己的私生活，被周瓒不冷不热地搪塞回去。他说那女孩反正也不会是她的儿媳妇，她的手大可以不用伸得太长。

冯嘉楠气得不轻，有意给周瓒一点教训，唯一的办法只能从经济上去约束他。她大量削减了周瓒的生活费额度，只给他最基本的生存所需。周瓒也不抱怨，没过多久，冯嘉楠听说他以节省房租为由搬去和那个什么什么娃住在了一起。

"我们母子俩大概上辈子是仇家。"冯嘉楠事后对沈晓星诉苦。沈晓星笑言："如果上辈子有仇，也是你亏欠了他，这一世是来还债的。"说笑归说笑，沈晓星也劝了好友，孩子长大了，不能再像过去那样粗暴约束。尤其是周瓒这样的性子，有时候，堵不如疏，放任不理，他和那姑娘未必能够长久。退一万步来说，他们最后若真修成正果，好坏都是他自己的选择。

冯嘉楠忍不住问起了祁善的近况。这时她才从沈晓星处得知，祁善和周瓒已经很久没有联系过了。起初周瓒还经常趁周末打电话到她家，名义上是和沈晓星聊天，实际司马昭之心路人皆知。祁善始终没有接周瓒电话，听说在其他联系方式上也把他拉黑了。周瓒本不是做小伏低的人，一来二去，仿佛也死了这条心，两人近二十年的友谊毫无预兆地走到了尽头。

冯嘉楠若有所思地问沈晓星是否知道他们闹翻的原因。沈晓星说她也不清楚细节，只隐约听见他俩大吵一架，事后小善哭了，周瓒大怒，两人把从小到大的往来物件来了次彻底清算，大到冯嘉楠送的玉坠，小到他们上幼儿园时做的手工，概不幸免。祁善把周瓒占据她家阁楼的各种家私，连带她替他种的花也都统统打包送回了他家。两人竟是摆出了老死不相往来的架势。

“如果他们俩之间出了问题，一定是阿瓒那小王八蛋做错事的可能性更大。”冯嘉楠有些怅然，“我有时想，他们一直都是不谙世事的孩子该有多好。”

沈晓星在这方面要豁达得多，她说：“管不了的事，就让它顺其自然好了。”

事实上如沈晓星所料，冯嘉楠故意对周瓒和那乌克兰女孩的事不闻不问，三个月不到便传来周瓒和那女孩已经分手的消息。周瓒说是对方喜欢上了一个德国人，他的语气里丝毫听不出遗憾或悲伤，看样子也没让自己闲着。

冯嘉楠有更关心的问题，她追问周瓒申请大学的事准备得怎么样了，有没有理想的学校，把握大不大，她可以给他一点建议。周瓒嘴上说自己已经在准备材料了，用不着她操心，随后又说，反正只是混个文凭，野鸡学校有得是。冯嘉楠心都凉了半截。她趁午休时间打的电话，他那边应该是深夜，可背景声还是闹哄哄的，偶尔伴有女孩子的尖叫，不知他还混迹在哪个派对上。

冯嘉楠从未比此时更深刻地意识到，她把儿子独自送出国是个彻头彻尾的错误——她的大半生都是由一个接一个的错误累积而成。

“还有事吗？”

这通常是周瓒想要结束通话时的口头禅。冯嘉楠忽而转移了话题，“我听说小善和你已经没有联系了。我忘了告诉你，在你们吵架之前，她和我深聊过一次，也许我知道她心里是怎么想的……她脖子上那个蚊子包也是你干的好事吧？”

周瓒没有说话，但他电话里嘈杂的声音渐渐消停了下来。冯嘉楠也不在乎他的反应，继续说道：“是我劝小善及时抽身，离你远一点的。我曾经以为，你是我的儿子，一直是我在管教你，你应该和你爸不一样。结果我错了，基因是改不了的……这么说还抬举你了，你爸虽然滥情放浪，事业上起码还肯下功夫。你呢，你除了那张脸和一点小聪明还有什么？你去祸害别人吧，谁愿意爱你这摊烂泥就尽管去爱。放过小善，你配不上她，也配不上任何一个好女孩。”

周瓒静静地等他妈妈说完，良久才不屑一顾地哼笑，“我说祁善怎么变得那么硬气，原来得了你的点拨，也是，她和你向来一个鼻子出气。你以为我会哭着求她，为她吃不下睡不着？她有什么了不起的，像她这样的女孩子我身边一抓一大把。你替我转告祁善，玩不起趁早别玩！”

“你自己当面去跟她说！日子还长着呢，我盼着你不要后悔。看在你是我儿子的分上，提醒你一句：用伤害一个人的方式去表达你的在乎，是最愚蠢的行为……”

“我不是跟你学的吗？你刚才怎么说来着，‘基因就是基因’！我爸的感情再下三烂，他睡的女人一个比一个年轻，你不服气，也去倒贴一个小白脸。可我爸在这个过程里是享受的，你呢，你离婚、争取到大笔财产、又升了职、也有男人追你，可你为什么迟迟不肯烧掉我爸当年写给你的信？他再过十年还能有小姑娘投怀送抱，十年后你的小白脸还会摸着良心说爱你？没心肝的人活得更快乐，这是我从你们身上学到的。”

冯嘉楠没想到儿子会这么说，她低声道：“我可能到死都不会烧掉那封信，同样，我到死也不会原谅他。没什么好说的了，幸而小善和你不会有机会走到我们这一步。”

周瓒莫名地愤怒，“我和她的事用不着你管。你觉得你是为了我好，其实只是想满足自己的控制欲。你不想承认也得承认，在感情上你是个可怜的失败者，控制不了自己的男人，才变态地想要操控我的生活！”

电话另一端陷入长久的沉默，周瓒想要挂了电话，听到他妈妈显出了伤心和疲惫的声音，她说：“打败了我，你就赢了？阿瓒，爱怎么会没有束缚！”

他们后来兴许还吵了几句，周瓒不记得了。四天后，冯嘉楠在中午短暂的休憩时间从中环打车前往元朗，她乘坐的出租车在途中与横插上马路的一辆小货车相撞。冯嘉楠当场身亡，司机在被送往医院的途中也停止了呼吸。没有人知道她当时为什么外出，是会见客户还是约了朋友，答案随着当事人的离去成了个谜。

周瓒乘出事当晚的航班飞往香港，和匆匆赶到的沈晓星一块料理了冯嘉楠的身后事。周启秀本来也要来的，被周瓒拒绝了。无论从法律还是感情上来讲，冯嘉楠和他已无瓜葛。周瓒坚信他妈妈不会想要周启秀送她最后一程。他唯一不确定的是，妈妈是否也一样不想再见他这个不肖子。

出事的出租车损毁严重，冯嘉楠的遗体也未能幸免。周瓒出面认尸，如果不是看到完好的那只右手手背有个浅浅的疤痕，他不会相信眼前那堆支离破碎的血肉就是他妈妈。

疤痕是十多年前的旧伤，那时刚七岁的周瓒不顾妈妈的反对非要学骑自行车，他的玩伴里只有他还不会骑，连祁善都在一个月前开始慢悠悠地踩着车在门前的小路上晃悠。冯嘉楠跟在车屁股后头，周瓒不让她扶，为了甩开她，他蹬得太快，车头不稳，从河堤旁的石台阶冲了下去。冯嘉楠情急之下抓住了车轱辘的钢丝……也是这只手在四天之前拨通了恐怕是她这辈子最失望的一个电话。

遗体就地火化。那时，殡仪馆除了周瓒，还有个三十多岁的男人，身材高大，面色悲戚。周瓒心知这一定是他妈妈生前的那个年轻情人。他同样没有答应男人提出看冯嘉楠最后一面的请求。他妈妈一生重仪表，爱面子，活得比谁都光鲜骄傲，她长留在在乎她的人心中也应该永远是这个样子。

等待遗体焚化的过程中，周瓒和那个男人有过短暂的交流。沈晓星也不知道他们说过什么，次日，冯嘉楠生前的部分私物被人送到了他们下榻的酒店，那个男人从此再没有出现在他们的生活里。沈晓星也承诺对那人的存在绝口不提。冯嘉楠最后的这段地下情事原本所知之人就甚少，就此不留痕迹地随着她的躯体化作了灰烬。

第二十五章

等不到的原谅

WE

Chapter Twenty-five

三天后，周瓒捧着冯嘉楠的骨灰盒回家。这次周启秀没有顾忌任何人的劝说，执意在家给前妻操办了一场后事。他一身黑衣，没有号啕痛哭，灰败着脸从儿子手中接过骨灰盒，拂去上面的微尘，手势温柔。苍老的气味是一夕之间从他保养得宜的躯壳中散发出来的。

收到噩耗时，周启秀也在路上——近期与他过往甚密的年轻情人号称有了他的孩子，这种事情自然要当面解决。周启秀有过不少风流孽债，离婚前是偶尔，离婚后是平常。他这辈子都爱冯嘉楠，然而他管不住那些从旁逸出的心思。他找的女人无一不是身材高挑，五官明艳凛冽。周启秀无法解释这是因为她们都像当年的冯嘉楠，还是他喜欢的女人就是这种类型。这些女人有些爱撒娇，有些温柔，她们都比冯嘉楠柔顺听话，他再温柔体贴，也没人敢骑在他的头上。周启秀有时欣慰，有时失望。如今他唯一能确信的只有一件事，所有人都以为他当年选择冯嘉楠，忍受她的暴烈性子，呵护她近乎单纯的偏执，是因为她有一个职位不算太高却有实权的父亲，甚至后来连冯嘉楠也那么认为。然而直至岳父急病骤逝，直至他和冯嘉楠成了怨偶，甚至在他们离婚以后，周启秀依然想过，等到他们老到无力争吵，老到心无旁骛，他会和冯嘉楠在他提过的那个山庄度过生命中最后一程，亲自送另一半离去，无论谁走在前面。

冯嘉楠说过，她像火，周启秀像水，天生无法交融。周启秀没有想到，她没有蒸发他，却在他眼前早早熄灭。

冯家的直系亲属所剩无几，这次来吊唁的只有一些远房亲戚和冯嘉楠生前的同事、朋友。周家的人也来了不少，生前有再多的矛盾，死者为大。周启秀在乎她，他们也不能让她的后事冷清。父子俩一起将骨灰安置在灵堂之上，其余人都没有靠得太近。冯嘉楠的遗照是她婚前的一张证件照。那时她和周启秀正在热恋之中，一切的伤痛和不堪都未曾来袭，她面色端凝，眼里却透着俏皮和快活。她用这样干净的眼神看着灵堂前的两个男人，他们面孔相似，悲伤也雷同。

“阿瓒你说这像不像在做梦？还是她醒了，我们还梦着？”

“对你是种解脱吧。”周瓒低头点香，颤动的香头总是凑不到火上，他绷着嘴角，睫毛却是潮湿的，“我听三叔说，我恐怕又要多一个弟弟，或是妹妹。”

周启秀没想过到了这个份上，老三还要在阿瓒面前挑起这些糟心事，这无异于往伤口处捅刀子。那伤口也贯穿了他，他喉咙发紧，怔忡片刻，说道：“都是我的错……”

“爸，我不是应该恭喜你吗？”周瓒的笑比哭还让周启秀揪心。

周启秀定定地看着冯嘉楠的遗照，对儿子说：“你怎么说都行，我不怪你。我不是个好父亲，过去我对你的照料太少……你妈妈她不喜欢我插手她管教儿子的事。现在她不在了，我在她灵前发誓，无论你认不认我这个爸爸，我会照顾好你，把她那份心也一起尽到。阿瓒，我不会再有别的孩子。子歉是我当年的错误，我对他有责任。但你是我和你妈唯一的骨肉，任何人也不能取代。”

周瓒垂首不语。话说得真好听啊，他都要感动了，差点忘记这个对前妻深情无限的男人不久前才把别的女人肚子搞大了。他听祁善说，古往今来那些写下最著名的悼亡诗的诗人无不薄幸。周瓒如同恨自己一样恨他爸，更恨三叔和他身后那群有血缘的豺狼。他们心里恐怕都乐坏了吧，他妈妈死了，他没了依仗，周启秀心中的天平迟早会向另一方倾斜，何况三叔身前还有一个周子歉。周瓒偏不让他们称心如意，他不在乎他爸一生攒下的事业，但也不想让他妈妈恨了一辈子的人占了便宜。所以周瓒绝不会告诉周启秀，他妈妈生命中的最后一段另有寄托，他要他爸爸活在后悔和自责之中，是谁害得他妈妈伤透了心远走异乡，又是谁在背后间接逼得她的婚姻和生命相继走向绝路？周启秀一日不能释怀，就一日不能心安理得。

“你会让那个女人打掉孩子？”周瓒不确定地问。

“没有什么孩子。”周启秀面色平静如水，“阿瓒你放心，是你的就是你的。”

夜深了，吊唁的来客都已散去。周启秀也终于离开了灵堂，从听闻冯嘉楠出事，他几乎未能合眼。是周瓒让他去睡的，周瓒说，自己想单独陪妈妈待一会，周启秀无法拒绝这样的要求。

身边没有旁人之后，周瓒扯下了头上戴的孝，坐在地板上，背靠铺着白布的几案。一旁供来客休息的椅子上有半包烟，想是白天来的某个人落下的。周瓒伸长手把它捞过来，抽出一支，就着灵前的白蜡烛点燃，凑上去吸了一口。这不是什么好烟，周瓒也许久没抽了，吸得太猛，肺火辣辣地疼，呛得快出了眼泪。

周启秀从永安寺请来的高僧带着徒儿们犹自不眠不休地在门外念诵，那声音延绵不绝，充满虚无，像周瓒嘴里喷出的烟雾。他在这样的声音里更觉出寂静和孤独，心里空得可以跑马。他受不住这种感觉，作恶般将一口烟喷在他妈妈的遗像上。她还是沉默地看着他，眼里是一种少年人的不管不顾。

这照片挑得……做儿子的都要认不出来了。周瓒又想，或许他妈妈并不是生来就偏执地要掌控一切，现在她走了，又得以恢复一身轻盈。

周瓒也自由了。刚接到陌生来电通报噩耗时，周瓒还不肯相信，当他挂了电话，心里冒出来的第一个声音竟然是“再也没人管着他了”，他松了口气。悲伤来得迟缓而悄然，在他行走时，静默处，呼吸间，毫无间断地从每一个空隙蹿出来，提醒着他，他没有妈妈了。即使现在他当着她的面做她厌恶的事，也没有人再骂他不争气。今后也一样，不会有人对他做的每一件事横加约束，也不会有人把他当成心里的宝。他不需愤怒，不需反抗，不必怕她失望又故意让她失望。

冯嘉楠总是像愤怒的母狮一样挡在儿子的面前，她做的一切都是为了周瓒，也把争取到的所有都留给了周瓒，不管那是不是他想要的，也不给他回报的机会。周瓒痛恨她，想摆脱她，可他做每一件事都不可避免地打上了她的印记。她最后说：“爱怎么会没有束缚？”世上最束缚他的人死了，最爱他的那个人也一样。

周瓒的烟毫无预兆地被人拿下，他打了个寒战，差点以为妈妈显了灵，一抬头，是祁善阴着脸站在他面前。她把半截烟按熄在香炉里，絮絮叨叨道：“非得要在这里抽？嘉楠阿姨不会喜欢的。你不能让人省心一次？”

这种曾让周瓒嫌弃到抓狂的劝解如今听来无异于天籁。他在人前摆出的沉默和悲戚一概如面具瓦解，没出息地红了眼睛，负气又纠结。

“你不是不理我了？”

他们白天见过。那时祁善随家人到灵前上香，周瓒身为家属和周启秀一道朝他们鞠躬，祁善也例行公事地说了句“节哀”。入夜后，祁善扶着她外婆回了家。嘉楠阿姨和她妈妈一家都是旧识，这一次她外婆和舅舅、舅妈都专程从邻市赶了过来。周启秀身边没有得力的女性主事者，沈晓星作为与他们家最亲近的朋友被托以重任，丧礼上的大大小小事务都经她统筹打点，忙得无力悲伤。直至现在她还在院子里临时搭建的棚下和负责丧葬礼仪的工作人员低声商量明天的流程。

祁善过来本是给她妈妈送外套的，夜里天凉。她见许久以前摆在妈妈面前的水都没有动过，沈晓星分别与几个人沟通不同的事项，思路依然清晰，但眼眶却深深地陷了下去。祁善心疼，想替妈妈分忧，问："有什么可以让我做的？妈，要不我来统计礼金好了。"

沈晓星暂停与旁人的对话，想了想，对女儿说："小善，不如你去看看阿瓒。"

祁善又上罢一炷香，坐到一侧的椅子上，默默地望着靠坐在她对面的周瓒。出事后她也蒙了，一想到嘉楠阿姨以前对她的好，禁不住流了几次眼泪，心里像缺了一块。她都难过至此，周瓒身为至亲，想必更为煎熬。祁善是不想再理他的，然而他现在经历这样的变故，她若再斤斤计较，未免太没有分寸。她和周瓒毕竟没有大仇大恨，抹去那些小儿女心思，他们还有近二十年的情分打底。

祁善轻声道："那件事我会守口如瓶，你放心。"

周瓒过了一会才反应过来，她说的其实是他妈妈和那个男人的事。他用手抹了一把脸，说："你一定在心里骂我无耻。我妈都死了，我还光想着怎么样维护自己的利益。"

祁善不予置评。在她妈妈嘱咐她保密后，她已将其中的利害关系理了一遍。周瓒虽然会从嘉楠阿姨那里得到可观的一笔财富，但在周家，他失了依仗，又刚成年，离独立还远。他爸心疼他，外面却从不缺女人，说不定某天就会有另一个女主人出现在家里，况且他还有同父异母的兄弟和关系不对付的父系亲戚。周家家业不小，他替自己的将来着想也无可厚非。至于其中的心机，祁善不认同，却能理解。她会站在他这边，就算是看在嘉楠阿姨的分上。

周瓒动了动发麻的腿脚，他坐得并不舒展，任何一种姿势都让他疲惫。白天他已将悲伤表演得淋漓尽致，外人看见了他的孝顺和可怜，周启秀也与他的痛深有共鸣。他们都不知道，其实真正占据他心里大部分阵地的情绪是慌张和无措，像骤然失怙的幼兽，只想找个庇护处发抖。

他对祁善说："我妈出事的时候我好像在打游戏，不是说母子连心，她都被撞成那样了——你没看到她的样子，没看到更好。我那时玩嗨了，一点也感觉不到她当时受的罪。她最后一个电话我还跟她吵了一架，说了很多让她伤心的话，她很生气，也对我撂了狠话。其实我心里不好受，可是偏偏就没有想过打个电话向她道歉。你知道的，我和她吵架是常态，她隔了几天就会再打过来跟我扯别的事，表示她原谅我了。我以为这次也一样。没想到她存心要教训我，让我往后再也等不到她的原谅，我就彻底成了一个浑蛋。"他呜呜地哭了起来，两下蹭到祁善脚边，仰着脸问她，"小善，我是不是个浑蛋？"

祁善说："是！"她眼里也有了泪意，别开头不看他。

"你替她骂我几句，你们不总是一个鼻子出气？"

祁善摇头。周瓒把脸埋进手心，"我骂她是个控制狂，她说盼着我后悔。我现在后悔了，她也没了，有什么用？有什么用！小善，我该怎么办呀？"

"再难过也是你应该受的，她那么对你，你就知道口是心非！"祁善感觉到他贴在自己小腿上的指缝所透出的湿意，强忍着眼泪骂道，"你活该！"

周瓒不再言语，无声地抽动着肩膀，祁善也不劝，悲伤得以宣泄是天大的幸运。周瓒的心悄然落定。他终于嗅到了无比熟悉的味道，在她身上。那味道像他的小善，也像他妈妈。这如今成了他最渴望的收留。

门口的诵经告一段落，祁善见周瓒也平复了一些，她调整坐姿，不动声色地将腿挪开。周瓒离了她的腿，又抓住她搁在身侧的手，有些愣神地问："你还在怪我？我以为我们至少还是朋友。"

祁善慢慢抽回手，犹豫了一会，蜻蜓点水般将手停在周瓒的肩上，说："当然，以后也是。"

第二十六章

另一片海阔天空

WE

Chapter Twenty-six

“小善，还没睡呢？明天不用上早班？”沈晓星上楼休息，发现女儿房间的灯还亮着，门也没关，探头进来问道。

“哦。”祁善应了一声，顺手将周子翼儿子百日宴的红包塞进抽屉。

与此同时，周瓒拒绝了一个“新朋友”叫去喝几杯的邀约，兴致索然地关了车上的交通广播。

他们几乎同时想起一件事，冯嘉楠的忌日就在月底。八年了，许多事如笔墨被水浸染，不消失，只是日益混沌模糊。

冯嘉楠的骨灰存放在永安寺，近四年来周瓒和祁善都是约着一道去祭拜她的。祁善在冯嘉楠灵前承诺过，会和周瓒做一辈子的朋友，然而他们的关系后来也经历了一段相当漫长的修复过程——至少在周瓒看来如此。

料理完妈妈的后事，周瓒有过立刻回国的打算，是祁善不许他半途而废，她说嘉楠阿姨会希望看到他好好完成学业。为此周瓒不得不打起精神认真地去为申请大学的事做准备，幸而他运气还不错，被当地一所商学院录取了，虽不是什么顶尖院校，好歹不至于沦落至野鸡大学混文凭的地步。周启秀大感欣慰，老三不咸不淡地在他耳边说什么“不就是花家里的钱在外面玩几年罢了”，他也没往心里去。

依照周瓒的本意，他实在是在加拿大待腻了，即使以他的玩心在哪里都能找到乐子，但国内的生活对他显然更具诱惑力。无奈他头上顶着紧箍咒，光是他妈妈的“遗愿”就压得他动弹不得，何况还有活人的期许。他不敢再让祁善失望，她是他最后的束缚，挣脱容易，可脱缰的野马天高地远，无所归依，他反而怕她放手。周瓒慢慢明白了妈妈那句话的意思，他宁愿祁善管着他、拽着他、唠叨他，那他漂得再远也有了根。

只不过这倒成了周瓒的一个美好愿望。在祁善看来，让他好好上学只是作为一个“朋友”善意的规劝，仅此而已。祁善是个认死理的人，喜欢一个人时心心念念，不作他想，收回那颗心之后也驷马难追。打从她认清周瓒绝非良人的那天起，她已经在心里划清界限。朋友就是朋友，她的放手不是以退为进，另一片海阔天空从此与他无关。

后来的一年多里，周瓒屡次故技重施，电话里甜言蜜语说尽，一年跑回来三次，软硬手段都用遍。他曾以为祁善翻不过他的五指山，可后来才发现，如果祁善是孙悟空，他却并非如来佛祖。他更像白骨精，无论披上哪一张皮，在火眼金睛下都无所遁形。她那么了解他，他的伪装，他的卑劣。原来从前她的相信，只是因为她愿意相信。

好在祁善没有持着老死不相往来的态度，周瓒的联系方式从黑名单里解禁，他们恢复了正常的沟通。周瓒放弃胡搅蛮缠以后，他打电话回来，祁善不再回避。周瓒知道祁善和周子歉关系越来越好，他心里不痛快，可谁叫“远水解不了近渴”呢。他也出不得声，不想祁善再责怪他多事，更不想打草惊蛇。无论周子歉存着什么样的心，祁善现在只是把他当朋友看待，一个含蓄，一个被动，周瓒谅他们三年五载也成不了事，他跳出来搅和就太蠢了。

那段时间，周瓒对祁善的心态是忙于堵漏。他本有一条江河，取之不尽用之不竭，忽而江水改道，他就想着小溪也好，水洼也罢，最后剩了一眼泉他也可以俯下身去舔，反正留住多少是多少，保证不会渴死再伺机深挖，说不定还有希望打井。在这方面他是彻头彻尾的实用主义者。

他们之间存在感情的死穴，做朋友两人却擅长得如同与生俱来。周瓒上大学的第二年，他和祁善基本恢复到谈笑如常的状态，至少表面上如此。虽然周瓒有时在电话里对祁善唱《把根留住》，祁善还是会叫他“滚”，他买那块春宫三问表，她大骂他神经病。然而祁善偶尔会主动与他联系了，两人说说各自身边的趣事，她不再是一味承受周瓒单方面的“骚扰”，这在周瓒看来是个长足的进步。

等到祁善大四那年的毕业旅行，第一次出国门的她在周瓒的强烈建议下选择去了加拿大。周瓒心中窃喜，后来发现沈晓星也同行，他殷勤地陪了她们一周，鞍前马后周到得很，沈晓星直夸他现在历练懂事多了，殊不知周瓒背后呕了多少升血。

周瓒不是专心研究学问的人，可他拿不到毕业证没脸回来，熬了四年好不容易修够了学分，混到毕业立即回了国，以隆兄为代表的狐朋狗友和热闹精彩的夜生活在朝他招手。祁善那时准备上研二，她去了更远的一个分校区，一周也未必回来一次。周启秀公司也迁了新址，在新开发的 CBD 中心区域，为上班方便，他多半住公司附近的房子里。周瓒回来后，周启秀正式从老房子里搬了出来，他让周瓒自由选择随他生活或住在旧居，周瓒却两边都不挨着，自己找了房子独自出去住。

周瓒回来后没日没夜地玩了一个月，周启秀看不下去，非逼着他到公司上班。那时子歉已经在公司做了一年的实习员工，他学东西很快，行事有着与他年龄不太相符的周密和沉稳，很得公司元老的好评。尤其有了三天打鱼两天晒网的周瓒做对比，大家无不惋叹老板半生勤恳却得了个纨绔二世祖的儿子，反倒侄儿更像他的得力助手。

周启秀面上不提，背地里没少鞭策周瓒，要他争点气。周瓒直言自己对公司事务不感兴趣，周启秀骂也好，怒也罢，没到三个月，他就正式从公司开溜，去和朋友合伙开了他的第一间酒吧。周启秀气得半死，实在是无可奈何，当着外人的面只能扮开明家长说“尊重孩子的选择”。

三叔虽已不在公司核心管理层之列，见状幸灾乐祸地问周启秀：“你现在还打算把自己半辈子的心血交给那个浑小子？说句不吉利的话，不怕眼没闭上公司就被他卖了？”

周启秀那时埋首文件堆里，对自己的亲弟弟说：“什么半辈子心血，等我死了，生不带来死不带去。”

“说得轻松。二哥，你难道不为子歉想一想？他也是你儿子。”

“你不用时时提醒我这件事，我什么时候亏待了子歉？”周启秀用手揉着眉心，他怎会看不出来，阿瓒确实无心于此。子歉才是更适合成为接班人的那个。

老三见状又劝了一句：“我也是为阿瓒好。你不能因为他妈没了，就一味纵着他。他妈死了又不是你撞的，出事时你们婚都离了。要我说，也该让阿瓒吃吃苦头才……”

“就算我将来把公司交给子歉，阿瓒也是大股东之一。”周启秀语气依旧温和，眼神却冷了下来，“我们都吃过苦，何必要孩子也受这一遭？还有，老三，我不想再听到你提起他妈妈的事情，你操的心已经够多了。”

周启秀曾寄望于祁善说服周瓒，但是在这件事上，祁善认为阿秀叔叔实在不必与周瓒相互为难。就像她愿意扎在书堆里一样，周瓒喜欢开酒吧就开吧，他是成年人了，只要不犯法就与人无尤。

周瓒酒吧开业那天祁善也去了，周瓒抽空挤回她身边，问她：“你觉得这里怎么样？”祁善出娘胎第一次坐在如此吵闹的地方，她莞尔道：“还行。”周瓒故意逗她，笑嘻嘻地又问了一句，“那我呢，你现在觉得我怎么样？”酒吧里光线太过昏暗，他看不清祁善是否脸红了，兴许没有吧，她的眼神还是平静而清明的，连笑意都与回答上一个问题时毫无区别，“你啊？也还行吧。”

周瓒付之一笑，转头就去应酬别的朋友了。到了晚上，他回到自己一个人住的顶层公寓，靠着沙发背坐在落地窗前，外面是不曾熄灭的万家灯火，他的眼神却没有聚焦。他很难不去回忆，如果是十年前的祁善，她会怎么回答，很有可能她会说：“你是大傻帽。”四年前呢，她会扭过头假装没有听见，呼吸是乱了拍子的。如今他做什么，她都觉得“还行”。不是他重新修复了在祁善心中的形象，而是她对他已没有了要求。

周瓒至今也无法回答祁善当初的问题，她对他来说是什么？她什么也不是，又什么都是。周瓒不想深究，他只肯定一点，妈妈不在以后，祁善就是他最亲的人。想到这里，他拿起脚边的手机拨通了祁善的电话，说：“明天你什么时候回学校？正好，上午我去你们学校附近的车场试车，可以顺便送你一程……谢就不必了，明晚我去你们学校食堂找你吃饭。”

祁善硕士研究生毕业后顺利留校任职于图书馆，工作地点又回到了市区，每天两点一线往返于家和学校之间。周瓒与她见面又变得频繁起来，他三天两头地往她家跑，倒比回周启秀那边还勤。祁善家的阁楼再一次被他的各种破玩意攻占，游戏机、潜水工具、山地自行车……还有各任正式与非正式女朋友送他的稀奇古怪的东西。祁善的电脑也不再单纯属于她自己，系统里常常有她根本不知道干什么用的软件，有时下班回来显示器也换了一台，他还美其名曰是替她“更新换代”。祁善每每向开门迎敌的父母抗议，他们的理由永远是那一个——“阿瓒也可怜，他都没妈了！”这话一说她若斤斤计较倒成了罪过。

周瓒的住处离祁善学校不远，她也忘了是哪一回他出差在外，让她去替屋里的绿植浇浇水，从此祁善就有了他的钥匙，浇水这件事彻底成了她的分内活，什么给钟点工开门打扫、下班顺便帮他取个邮件更不在话下。

以普通朋友而论他们似乎太过亲密，然而除去最大限度地融入她的生活，周瓒也没有更逾越的行径。他在外面的生活精彩得很，身边的桃花从来没有断过，还不时怂恿祁善也去找一个男人试试恋爱的滋味，好几次提出要给她介绍。祁善对周瓒圈子里的朋友敬谢不敏，这几年她爸妈也开始关注她的私生活，她不咸不淡地应付着。就在周瓒和沈晓星夫妇都以为祁善要嫁给一堆书的时候，她的铁树毫无预兆地开了花，找的不是别人，偏偏是周子歉。

第二十七章

一条绳上的蚂蚱

WE

Chapter Twenty-seven

周瓒抵达百日宴会场时，周子翼夫妇正相偕在入口处招呼来宾。

“哟，你今天居然来得这么早。”周子翼远远看到了周瓒，笑着朝他打了个招呼，继而又转头在娇妻耳边笑语几句。

周瓒走近，没好气地质问：“又在背后说我什么坏话？”

他的堂嫂陈洁洁刚才还在掩嘴偷笑，这会却摆出一本正经的模样答道：“我们在说你这个大忙人今天太给面子。来那么早，是不是打算帮我们招呼招呼客人啊，正好今天来的人多。”

周瓒和三叔关系恶劣，与大堂哥周子翼却往来密切。他们夫妇俩都知道他对于这种场合的应酬向来惫懒，不是借故推托，就是姗姗来迟，稍坐就走，难得今天成了最早到场的一拨人之一。

周瓒明知他们背后编排的肯定不是什么正经话，也不计较，笑着对周子翼说：“我孤家寡人一个，想什么时候不行？倒是你，我还没上初中你就给我洗脑，说能玩就玩，泡妞泡成老公就惨了。我那时居然觉得很有道理，结果结婚最早的人也是你，现在儿子都整出两个了。”说完他不忘在陈洁洁面前挑拨，说：“嫂子，我告诉过你没有，我哥刚看上你那会儿，暑假回来对我们吹牛，说一个月之内肯定能把你搞到手，玩半个学期就换一个……”

“你小子想干什么？”周子翼半真半假地在周瓒肩上擂了一拳，讨好地对妻子说：“别听他放屁！”

陈洁洁又是一阵笑。她和周子翼在一起十几年了，分分合合多少回自己都记不清，要散早散了。她哪里会把周瓒的话当真，斜了他一眼，问：“我怎么从你的话里听出了酸味？玩腻了，羡慕你哥了？别学他嘴硬，整天泡妞泡妞，小妞都被你泡成了别人的老婆。小心煮熟的鸭子会飞。”

周瓒仍然没个正经，挑眉笑道：“可惜我找不到像你这样的，漂亮又识大体，儿子生得越多身材越有料，不知道的还以为你去韩国整……”

“你说我们是不是该把他扔到那边，那才是他该待的地方。”陈洁洁又气又好笑地指着身后对丈夫说道。那边是被装点得童趣盎然的游泳池，他们的大儿子正和一群小朋友们在水里嬉戏打闹。周子翼办事不拘一格，这场仪式不中不西，既有中式的圆桌聚餐，图个热闹，又在泳池边开辟了户外区供小孩玩耍。

周瓒上前去逗保姆抱着的婴儿，在孩子肥嘟嘟的小手上套了一对金镯子，弯腰打量一会，又皱眉道：“黄灿灿的还是俗。好东西都让祁善搜刮去了，下回得让她拿几样出来给我们家小侄子。”

周子翼夫妇心照不宣地交换了一个眼神。陈洁洁故意道：“咦，祁善怎么不跟你一起来？”

“鬼知道她跑哪去了。”周瓒嫌弃道。说起这件事他就一肚子火，祁善今天上班，他原打算好了去学校找她拿红包，顺便让她搭顺风车过来。谁料他到了图书馆，停好车打电话让她下来，她却说自己在校外听一个讲座，问她讲座的地点在哪里，她含含糊糊的语焉不详。周瓒猜想她八成是找理由避开他，好和周子歉同行。一想到祁善今天有可能在一大群熟人面前和周子歉出双入对，周瓒的脸仿佛已提前被人扇了无数个耳光。

“对了，给小宝贝的红包也在祁善那家伙身上，等会让她一块给你们吧。”周瓒郁闷道。

陈洁洁打趣他：“刚说你是小孩子，现在又学大人做事，都知道送红包了。下回你和她凑在一块打个大红包就行了，何必麻烦？”

“不知道你说什么。”周瓒扮个鬼脸去逗孩子。

陈洁洁见他装聋作哑，在他肩膀拍了一下，意味深长道：“身材这东西嘛，说不定她生了孩子也会有料的，就看你有没有这个本事了。这个你懂吧。”

这种玩笑他们过去常开，无论是周瓒还是祁善都是笑嘻嘻的装糊涂。今天周瓒果然反常得很，拉下脸不阴不阳地来了句：“别扯我跟她，除非我瞎了。”

他独自进了里面，想找个地方坐下来，突然身前被一个人挡住去路。

“周瓒，你也来了，好巧啊。”说话的女孩二十出头，一头蓬蓬的鬈发，浓眉大眼深酒窝，脸上稚气未脱，身材却像熟透了的水蜜桃。她是秦珑，周启秀最重要的盟友老秦的独生女儿。

秦珑比周瓒小好几岁，大学刚刚毕业。她在家里极为得宠，父母中年得女将她呵护得无微不至，她身上便比同龄女孩更多了几分懵懂天真，平时最大的爱好就是看少女漫画和偶像剧，整天做着白马王子和七色祥云的梦，心里满是无处宣泄的粉红泡泡。她父亲和周启秀走得最近的那几年，正好周瓒在国外，她年纪还小，两人交集不多。前两年他们在一次半公半私的聚会上见面，秦珑对周瓒就看对了眼，嘴上不好意思开口，但总是想方设法找机会出现在他面前，嘴上叽叽喳喳，眼里欲说还休。

在周瓒看来，秦珑像一只看见肉骨头的小白狗，呜咽地叫不出声，尾巴都要摇断了，就知道没头没脑地瞎转悠。他也不是那么有操守的人，换作寻常，看对方有趣又执着，长得也不赖，说不准他闲时会陪她“过几招”。可碍于秦珑父亲那层关系，周瓒深知上手容易脱身难，这种自找麻烦的事他是绝对不会碰的。

平时被秦珑逮住，周瓒最多调戏她两句，逗得她心如鹿撞，却什么话柄也不会给她留下，再找个机会溜之大吉。可今天他满腔不爽，看在她老爹的分上才皮笑肉不笑地来了句："巧的是我堂哥和你表姐又搞出了个儿子。"

他走远后，秦珑才回过神来他是奚落自己那句"好巧啊"说得太蠢。陈洁洁是她表姑姑的女儿，她表姐夫是周瓒的堂哥，来来去去都是一个小圈子里的人，这种场合见不到才奇怪。她方才也是乍然见了他一时心热才没话找话说，周瓒的心思她总摸不准，心里怅怅然的，暗忖着待会非要去求表姐帮帮她才好。

周瓒闷头摆弄手机，心里却不得不为糟心事盘算着。隆兄来了之后他才从那种越想越憋屈的恶性循环中暂时脱身。

"喂，你们家老头来了，不过去打个招呼？"隆兄看见周启秀到场，好心提醒周瓒。

周瓒抬眼一看，果然周启秀和老秦一道在三叔的陪伴下坐到了主桌，那里除了陈洁洁的父母，还有周瓒从老家赶来的亲戚，他懒得去凑热闹。

三叔今天满脸喜气，笑得一脸褶子，他这几年为抚养若干个女儿和女儿的妈劳心劳力，对于再生个儿子的事彻底死了心。大儿子一连给他添了两个孙子，他高兴得连自己和儿子之间多年来关系冷淡都顾不上了。看三叔以一副主人的姿态进进出出，周瓒心中冷笑，他可听说要不是大堂哥在医院的亲妈力劝儿子不要过于计较往事，大堂哥原本连把三叔请来的打算都没有。

不过这些都不重要，重点是周瓒发现周子歉陪在周启秀身边，祁善依然不见踪影。他莫名地好受了一些，祁善那个书呆子有可能真的听讲座去了，她只是不想要他去接而已。悬在他面前的巴掌落下的速度放慢，可他要彻底把心放松也是不可能。

临近开席之前祁善才匆匆忙忙赶来，那时几十张大桌差不多都已坐满了人，她迟疑地站在过道上找位子。隆兄极有眼力见地朝祁善挥手，还喊了她一声，指了指周瓒身边的空位。这些年来因为周瓒的关系，祁善和隆兄也不得不混熟了。

祁善终于闻声看了过来，周瓒又低头玩他的手机。过了几十秒没有动静，他才瞄了她一眼，发现她看向了主桌的方向。周子歉没有出声，却扭头朝她微微笑着。周瓒觉得那笑容无比刺眼，连带周子歉每一个细微的动作都充满了对他的挑衅。他更觉察到了祁善那一瞬间的犹豫，祁善的下一步举动在周瓒心中直接上升到了要不要彻底将她定位为“叛徒”的高度。

这时身为男女主人的周子翼夫妇也领着孩子走了进来。陈洁洁看见祁善，笑眯眯地挽了她的手将她往可容二十五人的主桌带。祁善随她走了过去，原本跟在陈洁洁身后的秦珑却像小兔子一样蹿到了周瓒和隆兄身边。

“小舅舅，你还给我留了位置呀。你太好了。”秦珑话是对隆兄说的，眼睛却偷偷打量周瓒。

周瓒眼前一黑。

秦珑坐在周瓒和隆兄中间，雀跃地说着小宝宝的种种可爱行径。周瓒一句也没听进去，他冷眼看祁善和周子歉隔着一张大桌眉来眼去，唯恐别人发现不了他们的“奸情”。不知道他们打算什么时候公开，他们俩都是谨慎的人，若在家人面前将这件事挑明，基本上就是木已成舟的意思。自从看透了他们之间那点破事，周瓒便一直陷在焦躁之中，他一连几天没法想别的事。有那么一时半会，周瓒疑心祁善是故意恶心他，她应该明白他根本不可能诚心实意地去接受这件事，打死他都办不到。这已不仅仅是情分的问题，而是把周瓒的自尊彻底踩在了脚下，是挑衅，是背叛！最可怕的是周瓒发现自己并无良方，他已经有些绝望地在考虑该用什么方式去挽回一丁点的尊严——找个比她好得多的女人，不，一个不够，找一打。祁善会如何呢？翻个白眼转头又去跟周子歉你侬我侬？

周瓒低头喝了一口水，说不清是水凉还是心凉，他竟打了个哆嗦。这时他耳边忽然听到祁善的声音，她竟趁他走神，神出鬼没地出现在他身边，说：“阿秀叔叔让你过去一下。”

祁善也是无奈得很，周启秀起初还以为周瓒没来，后来发现他坐在远处的一张桌子旁，像个局外人。他心中不喜，老三还在煽风点火，摇头道：“我看再过几年阿瓒这小子连自己姓什么都忘了。这几年祭祖也没见他的影子，自家亲戚在路上碰见他也未必认识……”

周启秀淡淡地对子歉说道：“你叫他过来，招呼都不打像什么样子。”

子歉点头刚要起身，老三说：“二哥，你别为难子歉了，阿瓒能买他的账？”

子歉犹豫了片刻，他倒不怕周瓒的冷脸，只是不想自己过去相邀的行为被周瓒看成一种示威和卖弄。他们近年来相处本已太平不少，可现在周瓒刚得知他和祁善的事，嘴上不说，心里未必没有芥蒂。

陈洁洁忽然从推车里抱起小宝宝，背向众人，嘴里急道：“哎呀呀，宝贝看样子不是要吐奶吧？”

“我看看，我看看！”周子翼立刻凑过去帮忙。

祁善顿时无语，在场的小辈闲坐无事的只剩下她了，她也不想让子歉为难，只能起身去叫周瓒。周瓒正憋了一肚子火，还以为她迷途知返，哪知道是来做“说客”的。

“不去！”他语气生硬无比，手机也重重撂到了桌上，“去那边干吗？看猴子还是被人当猴子看？”

祁善翻了个白眼，不知道又触到他哪片逆鳞。她回到原位，刚想解释说周瓒在那边陪朋友聊天抽不开身，却听到周子翼笑盈盈地说：“我说还是祁善叫得动他吧。”

她回头，刚才还宁死不屈的那个人走了过来，要笑不笑地和在场的长辈逐一打了招呼。他正好卡在祁善和她的椅子之间站着，祁善坐不下来，只能莫名其妙地陪他并立。

“阿瓒，怎么不过来坐？”大伯母问。

“我不是让位给她嘛！”周瓒朝祁善眨了眨眼睛，促狭道，“那么想当我们家的人？”

祁善没防着他来这一手，满脸通红，讷讷道：“你尽瞎说！”

其实他们这一桌也并未坐满，只是服务生见人已坐定，将多余的座椅和餐具都撤下去了。陈洁洁看不下去，解围道：“是我没安排好，怪我怪我。子翼，你还不叫人搬张椅子过来！”

“不用了，我跟她换个位子不就行了。”周瓒说完已大大咧咧地坐在祁善的座椅上，抬头对她笑：“你知道我的位置在哪里的。”

祁善正好无心再坐在这里了，闻言不与他争辩，也没让周子翼夫妇和子歉再让人添加椅子。她朝周瓒伸出手。

“干吗呀！”周瓒有意无意地拦了一下。

“换一下餐具，那个杯子我喝过了……”

祁善语音未落，周瓒已端起那个茶杯抿了一口，愕然道：“不早说！算了，反正我喝都喝了，一点口水也死不了人。”

祁善尴尬难言，子歉在听老秦说话，脸没有朝向这边，只有周子翼和陈洁洁满脸看戏的表情。幸而另一边老秦正在和周启秀说话，年长的几个人都捧场地听着，未注意他们这些小动作。祁善默默去其他桌找了个空位坐下。

老秦如今身居高位，平时难得一见。今天他肯赏脸来参加这次宴请，有一半是因为和陈洁洁家的亲戚关系，另一半则是看在周启秀的分上。老秦多年前与周启秀结识本是老三从中穿针引线，如今老三已插不上什么话，但今天他身为孩子的亲爷爷也难免与有荣焉，待老秦更是殷勤。

老三没读过多少书，二哥和老秦的那些话题他只有听的份，然而在揣测人心上他有种与生俱来的天分。趁老秦发表完一番见解的间隙，老三满脸堆笑地说："我先前好像看到阿珑了，她黏着她小舅舅，我怎么叫都不肯过来。"

老秦端起周启秀特意给备的茶，吹了吹上面的热气，说道："她啊，哪里是黏他小舅舅……"

"哈哈哈，我明白了。现在我再去叫她，这丫头总该肯来了吧。"老三试探道。

老秦摇头笑，"算了，给我留点老脸！"

话说得含蓄，可在场的人多半听懂了，大家都附和着笑，眼光有意无意地往周瓒身上聚焦。老秦此番难得接了这个话头，态度暧昧，难免惹人遐想。周启秀也微微笑着，心中叫苦。今天是他和司机去接的老秦，路上老秦也提起了这件事，嘴上说"女儿大了，管不住她的心思"。谁不知道他对阿珑这个女儿的终身大事审慎得很。以老秦的身份和地位，想攀上他家的才俊如过江之鲫，要是几年前，就算周启秀肯厚着脸皮去争取，他也未必肯透出一点口风。阿珑喜欢周瓒早已是公开的秘密，眼下老秦的态度有了微妙的改变。

以周启秀和他的关系，两家若是联姻，从此就更成了一根绳上的蚂蚱。

亏得周瓒一再克制，才没让厌恶在面上赤裸裸地浮现。他们想把他和秦珑凑作对，做梦去吧。哪怕她是天王老子的女儿，哪怕要拿他爸的事业做筹码，也没有赔上他一生的道理。他妈妈冯嘉楠还没彻底与周启秀决裂前就十分反对周启秀为谋取更大利益向老秦借力，这在她看来无异于与虎谋皮，今后多半要出事。可惜周启秀事业上的野心远超冯嘉楠的想象，从中又有老三各种推波助澜。冯嘉楠对老三恨之入骨，在周启秀眼里，她的反对就多了许多个人情感因素，两人关系因此更加恶化。周启秀执迷不悟，冯嘉楠对他心死之后也不再多言，她把离婚的战线拉得那么长，是为了争取时间最大限度地将属于自己和儿子的那一份资产彻底与周启秀剥离开来。在周瓒出国那几年里，她不止一次对儿子耳提面命，要他绝对不能插手他爸爸公司的实际业务，免得卷入其中。在这件事上，周瓒听了他妈妈的话。

可无论周瓒再抵触，他也知道这件事莽撞不得。老秦不是普通人，周启秀骑虎难下，若是他拒绝，老秦必然不喜；想要拖延，对方也不是好糊弄的。万一周启秀有心应允……周瓒暗自心惊，事关他的切身利益，他不想为任何身外物献祭。他们逼急了他，谁死得更难看还不知道。

“我看阿瓒这孩子倒是有福气的，谁让爹妈给了一副好皮相！”大家都不过持着心中有数的态度，可老三打个哈哈就把周瓒给卖了。这是逼得周启秀不表态也得表态。

周瓒气得手抖，心中暗骂“福你妹”“福你祖宗十八代”，也不在乎把自己的亲戚全绕进去了，脸上还要挂出一个快抽筋的笑，抬了抬眼皮说：“三叔我看你中午喝多了。我长成什么样有什么关系，又不是出来卖。我看三叔也有福气，幸亏你长得安全，要不早就连屁股都保不住了。”

这话一出，就连一贯忠厚板直的大伯父都停下筷子微张着嘴。老三脸上一阵红一阵白，憋了一会才指着周瓒道：“你小子你别太过分啊，我怎么说也是你的长辈。当着大家的面我不和你计较，你别给脸不要脸。”

“脸是什么，三叔，你没有的东西怎么给我？”周瓒依旧带笑。

“给我滚出去。今天是子翼家的好日子，不是来看你胡闹的！”周启秀朝周瓒厉声呵斥道，趁周瓒木着脸起身的工夫，他对老秦哀叹道，“你说我怎么养出这么个东西，除了气人，他没别的正经事可干，放到谁身边都是个祸害！”

陈洁洁的父母都出来打圆场，要他们别和孩子置气。陈洁洁这时忽然撇嘴说了一句：“阿瓒这臭脾气，我们阿珑可不能跟他在一块，否则有得她哭的。”

这话别人说不得，陈洁洁却说得。她是阿珑的表姐，关系亲厚，站在女人的角度评价几句也无可厚非。果然，她父母只是给她使了个眼色，周子翼夹了个鸡翅放进她碗里，不轻不重地说：“吃你的吧。”

“我也是为阿珑好。唉，我喂孩子去了。”她抱起小宝宝离开了是非地。老秦低头看着茶烟，面上表情难以捉摸。

第二十八章

谁是不可替代

WE

Chapter Twenty-eight

隆冗与外甥女说说笑笑，可阿珑一直记挂着周瓒被叫到主桌迟迟未归。该不会他被留在那边了吧？亏她还为自己今晚占了个好位置沾沾自喜。

“别看了。我说你图他什么？那小子一肚子坏水，你搞不定他。”隆冗拆阿珑的台。他多少猜到了姐夫的心思，外甥女的花痴就更不用说了。他倒不希望阿珑和周瓒在一块，以后他这个做舅舅的怎么好意思把外甥女婿叫出来一起花天酒地。

“图他长得帅不行吗？”阿珑理直气壮地说。

隆冗吐出一块骨头，眼睛看着邻桌一个身材火辣的美女，嘴里说：“肤浅！”

“他回来了。”阿珑看到周瓒起身离桌，心里一阵高兴。不料周瓒并未折返，而是直直地朝门外走去。

阿珑拍着隆冗着急道：“小舅舅，他要去哪呀？”

“我又不是他肚里的蛔虫！”邻桌的美女不小心弄掉了筷子，俯身去捡，胸前的风光隐隐可见。隆冗哪里还顾得上阿珑的小心思。

“周瓒，喂，你等等……”

周瓒穿过花门打算提车走人，老头子让他“滚”，他求之不得，反正那份腌臜气他也受不了。秦珑的声音远远在身后传来，他早听见了，她越追得急，他越不想搭理。女人就是麻烦，麻烦，麻烦！可理性偏又提醒他，麻烦不是用来累积的，或许……新的麻烦可以暂时解决旧的那一个。他脑子里闪过一线亮光，来不及捕捉，脚步已本能地放慢了。

阿珑总算在游泳池旁追上周瓒，气喘吁吁地说："饭都没吃，你要去哪呀？"

"我有事……你管我去哪！"周瓒让紧绷的脸色缓和下来，明明不太友善的一句话，在他微漾的眼波和嘴角若有若无的笑意映衬下偏偏多了几分让人心悸的意味。

"我，我……"阿珑红了脸不知该怎么接他的话，她总不能说，"我想和你在一起，不要你走。"

周瓒却比她想象中更直白，他抠着车钥匙上的标志，忽然朝她粲然一笑，"听说你对我有意思。老跟在我屁股后头是不是就为了这个？"

阿珑哑然，她没想到还能把心事拿出来这样讨论。既然周瓒都挑破了，她也没有退路，结结巴巴地说："不……不可以吗？"

"可以是可以。不过，你不怕我对你没兴趣？"

"我有兴趣就够了！"

阿珑抬起下巴，故意摆出强势的姿态。她本性单纯，但毕竟被宠惯了，没尝过得不到的滋味。周瓒在这件事上的轻忽态度更激起了她的好胜心。他家里有钱，也不过是依附着她爸。只要爸爸不反对，阿珑不信周瓒会彻底拒绝她的一片心。

"你倒是爽快的。"周瓒的笑意更浓，他索性也不急着走了，站在泳池边缘的树荫下，回头问阿珑，"兴趣这玩意儿不顶用。你的事你能做主吗？"

"当然能。我爸妈会依着我的，只要我愿意。"阿珑似乎看到了一线希望，周瓒的意思莫非是……她又惊又喜，"我们两家那么好，我爸没理由不答应。"

这话莫名地触动了周瓒的某根神经，他玩味道："是吗？"

她刚才说，“我们两家那么好”。如果他娶了她，恐怕也是被众人所祝福的吧，先不管那些祝福有多少是真心，多少是算计。周瓒的车钥匙飞快地轻点在阿珑的鼻尖，他的声音低柔又暧昧：“我喜欢听话的女人。不怕我欺负你？”

阿珑疑心他的钥匙上带着电流，否则怎么她整个身子都是酥麻的？幸福来得太突然，她有些手足无措，也顾不上矜持，眼巴巴看着他道：“我当、当然会听你的。”

周瓒微笑地打量着阿珑被泳池热烘烘的水汽蒸得发红的脸蛋，几根天然卷的发丝被汗粘在眼角。抛开身份不谈，她其实不失可爱，没有多少城府，眼下一门心思都是他。驾驭这样的女孩对周瓒来说易如反掌，什么时候该冷着她，什么时候给点甜头他清清楚楚。或许这也不赖，她会乖乖地让他拿捏，日后也管不了他游荡在外的心思。她也能替他浇花，帮他玩游戏练小号，生气时听他发泄，开心时陪他傻笑，在心里空出一个位置任他放肆。这么想来，这些事也没有什么了不起，谁是不可替代的呢？

阿珑在周瓒的注视下含羞带怯地垂下头去。看不清她的脸，周瓒的思绪更加无所忌惮。不知道她字写得怎么样，甜食她爱吃吗？平时爱好什么？喜不喜欢打麻将？一点小玩意能不能收买她？她发怒时木着脸的样子一定也很好笑。小卷毛摸起来会不会一样柔软，搔得他喉咙发痒？看起来阿珑的身材更有女人味，沾上了几粒细沙的皮肤蹭过身体应该更为柔软才对。

夜色下的泳池被白光照射得益发幽蓝，粼粼涟漪，像迷离醉眼里的海。周瓒喉咙一阵发甜。这就对了，他要祁善知道，她一点也不特别，从前不过是因为机缘，他才对她产生了惯性和依赖，那样二十几年的相处就算换张脸换个灵魂，一样可以亲密无间。更好的选择随手即可拈来，比她年轻，比她活泼，最好不要整天泡在书堆里，不会对他翻白眼，不会说教，不叫他绰号，也没有必要一眼看穿他的心思。她想走就走吧，他才不会为一个人的背弃当作天塌下来了。

“周瓒，你对我到底……”阿珑受不了这种让人煎熬的沉默，心急地想要求一个保证。

周瓒的话让她摸不着头脑，他说：“怎么，你也害怕被当成‘方便面’？”

“什么方便面？”阿珑好奇。

“难道你不是想问：在我眼里你算什么？”周瓒仿佛在求证，“你说说，怎么样的回答才会让你高兴？”

阿珑被他绕得有些迷糊，她老老实实道：“只要你愿意，我都高兴。”

她说完，又怕自己过于主动把他逼急了破坏现在良好的开局，拼命在肚子里搜刮别的话由来终止这个话题，却发现周瓒快快地别开脸去。

他们都说他性子古怪，不好捉摸，阿珑不在乎。男人是用来爱的，不是用来揣摩的。他在她身边就够了。

“我一直想学游泳，听我爸爸说你很厉害是不是？他说你会教我的！”阿珑面对泳池，终于找到了最好的话题。

刚才饭桌上老秦和三叔唱的那一套双簧又浮现在眼前，周瓒停顿了一会才说：“没问题，你爸说什么就是什么。”

“太好了！”阿珑笑逐颜开，她光想象着周瓒换上泳裤的样子就心跳又期待，“你什么时候才有空？”

周瓒侧头想了想，脸上的笑意让她看不透。他说：“择日不如撞日，我现在就有空得很。”

“但是我没有……”

“来吧！”周瓒笑盈盈地在阿珑背上推了一把，站在泳池边缘的她“扑通”掉进水里。她尖叫一声，扑腾着带出大量水花。

“周瓒，我不会游泳！”阿珑慌了。

周瓒看过了池畔的标记，1.5 米的水深，站稳了没事，越慌乱越麻烦。他蹲在池边笑道：“不会才要学。你爸不是让我教你吗，没喝过水怎么学游泳？”

说话间阿珑已经呛了两口水，“你快下来，下来啊……”

“我得去换条泳裤，车上就有。你等会啊，乖！”

“快拉我上去，周瓒，你浑蛋。啊……救命！”

五十米开外的主厅，百日宴才刚开席，那边的热闹喧哗更衬托出泳池边的冷清。泳池管理员趁四下无人也不知跑哪去了，水面上只有孩子玩剩下的几个气球在阿珑的扑腾下飘飘荡荡。她现在知道他浑蛋了。不是说她爸妈都拗不过她吗？她喜欢，他们借机撮合；要是她厌恶，他们还会不会赶鸭子上架？周瓒好奇得很。

老头子刚才赶他走，面上凶狠，然而周瓒也就此看出他爸对于这桩联姻的态度是消极的。老头子尚且顾及他的感受，没有贸贸然把他当筹码推出去，周瓒也不愿看着他左右为难。解铃还需系铃人，做坏人他更得心应手。

“阿瓒，你干什么？”子歉的低呼声传来。

周瓒离席时面色难看，周启秀心里也不好受，子歉看在眼里，陪坐了一会，借口上洗手间追出来想劝他几句，也不管他能不能听进去。哪知一走近泳池就看到有人在里面慌乱挣扎，周瓒蹲在一旁一动不动。

子歉上前，骇然发现水里的人竟是秦珑，她只能发出“呜呜”的哭喊声，眼看水就要没过头顶了。

“你是不是疯了！”子歉朝周瓒吼了一句，顾不上别的，衣服没脱就投入水里，三两下游到阿珑身边，把她托出水面。

周瓒觉得没劲透了，他手边就是泳池配备的救生圈，不过是喝几口水而已，死不了人。他本来已打算去把阿珑捞上来了，谁知道竟有人跳出来代劳。

阿珑吓坏了，子歉的出现如同救命浮木，她四肢都缠绕在他身上，唯恐再在水里失去依仗。

子歉被抱得太紧，手脚难以施展，好在他自幼在河里嬉戏，水性极佳，一边安抚着阿珑，一边艰难地将她带上岸。阿珑坐在池畔瑟瑟发抖，即使脱离了险境，仍牢牢抓着子歉胸口的衣服不肯放手，整个人都缩在他的胸前。子歉浑身湿透，也难免有些狼狈，他用极不赞同的目光看了一眼周瓒，转而继续在阿珑耳边劝慰。

“已经没事了。你先把手松开，我去给你找条浴巾。”无论子歉怎么说，阿珑都听不进去，一半魂魄依然在溺水的恐惧中无法抽离。

周瓒从躺椅上抽了两条浴巾，扔过去罩在阿珑和子歉身上。阿珑眼眸的余光扫到他，不禁又流露出几分恐惧和痛恨，在子歉的怀里“哇”地哭出声来。

“周瓒，你等着，等着！”

“别哭了，他跟你开玩笑呢。水不深，你只是太害怕了。”子歉再度抽身无果。他叹了口气，又拍了拍阿珑颤抖的背，“先把身上的水擦干。”

“你不许走。”阿珑拱在子歉身上哭得更大声了，“我要回家。”

周瓒越看越发现有趣之处，也不恼子歉多事了。他原来只想金蝉脱壳，谁想到那脱下的壳竟有可能成为新的饵子，还不知道往后能钓出什么新奇的事物。

子歉见周瓒坐在椅子上袖手旁观，心知是指望不上他了，阿珑这副模样让里面的人看到也不好，他只能用浴巾包裹着她，说：“好吧，我先送你回去。”

祁善走出来，远远看到子歉和阿珑相依离去的背影。

“这是唱的哪出？”她问周瓒。

周瓒和子歉前后脚地离席，祁善猜到多半出了事，也没心思留在全是陌生人的那张桌子上吃饭。

周瓒独自坐在泳池边，池畔还有一大摊水和凌乱的脚印。他好心向她解释：“秦珑掉进水里了，你的五好男友英雄救美。”

祁善狐疑地瞪了周瓒一眼，“好端端的怎么会掉水里，别又是你干的好事！”

“你还真了解我。”周瓒轻描淡写地说，“是我把她推下去的……干吗那副表情？她家人和我爸要找麻烦也是冲我来。你男朋友担了美名，你有什么好担心的？”

祁善的耐心也被他磨光，操起手里的包砸向他不可理喻的脑袋，骂道：“我看你脑子才进水了！”

“他们想我娶秦珑，官商联姻好事一桩。她也说喜欢我。”周瓒轻巧避开，顺手抓着祁善包包的带子，没心没肺地笑，“我要是脑袋进水，说不定就娶了她。你也觉得好？”

祁善有些反应不过来，半晌才说：“关我什么事？”

“也是，你称心如意了，何必为我操闲心。等你和周子歉成了一家子，巴不得一起看我的笑话！”

听到这种混账话，祁善气过头反而平静得很，她扭头要走，周瓒还拖着她的包，懒洋洋问：“上哪去啊？”

“我去看看子歉用不用帮忙。”

“少煞风景，那里没你的事。”

祁善用力抽回自己的包，周瓒抓着不放，她气得踹了他一脚，“滚。你什么意思？！”

“你脑袋被书塞坏了。秦珑现在肯定感觉很糟糕，都是女孩子，你去了她不尴尬才怪。”周瓒说了个祁善能接受的理由，拍着自己身边的空位，脸上是他招牌式的笑，“啧啧啧，精心打扮过了，难怪周子歉走了你要失望。”

祁善别扭地用指节蹭了蹭下唇，她明明只涂了很薄的一层口红。周瓒才不会告诉她，她喝过的白瓷茶杯上有浅浅的口红印，说不定后来还有些蹭到了他的嘴上。

“这样就对了。收拾一下你也是能见人的。”周瓒点评道。

他明着夸她，实际上是在给自己脸上贴金呢。

前天在祁善家，她没想到周瓒招呼都不打就跑到她房间，红着脸把妈妈放在床头的内衣裤收进衣柜。周瓒笑她多余，A 罩杯和一点也不性感的纯棉内裤有什么值得躲躲藏藏，又没有欣赏价值。他还奚落祁善对于打扮太不上心，内衣连钢圈都没有，过安检都不会“滴滴”响。男人都是视觉动物，周子歉会看上一个穿得像拖把一样的文艺女青年，心里多半有鬼。

祁善当时骂他庸俗，生了一会闷气却又问他认为衣柜里哪一件才好，看来是真的在乎周子歉的看法。周瓒从衣柜取了条宝蓝色连衣裙扔给祁善。这还是几个月前他怂恿她买的，祁善总觉得裙摆太短，胸开得又太低，一次也没穿出去。口红也是她在化妆品柜台被店员忽悠得头晕眼花时，周瓒在身后默默替她抽出的那一支。

祁善平时偏爱天然材质、舒适随性的打扮，那真的很像“拖把”吗？她不敢想。今天她抱着试一试的态度硬着头皮把那条连衣裙穿上身，还化了淡妆，结果还没出门她妈妈就说她今天开窍了。到了酒席上，她先后得到了隆兄和周子翼的好评，陈洁洁也夸她的气色很好。如果说这些都是客气话，子歉什么都没说，但他流连在她身上的目光里也多了几分深意。祁善沮丧地发现，周瓒竟然是对的。

“不谢谢我？承认我眼光比你好很难吗？”周瓒眼神不留痕迹地在她胸前掠过，果然挤挤总会有沟的。

祁善不情不愿地说：“谁让你阅人无数呢。”

“懒得理你。”周瓒不想和她争辩。女孩子的门道他了解不少，这常被历任女友援引为他花心多情的凭证。可祁善也这么想，他不服气。其实周瓒对女人大部分的认知还是从祁善身上得来的，什么大姨妈的症状，扎头发的方式，女人表达情绪的习惯，甜食的花式……包括她们穿裙子有时还有安全裤的说法，哪些不是她让他见识到的。后来把这些经验用在女朋友身上只不过更得心应手。周瓒并不是那种会费心讨别人欢心的人，也不会去研究女人适合什么样的打扮。他给祁善挑的，不过是他自己喜欢的——露出腿和脖子的连衣裙，还有会让她皮肤看上去更白皙的宝石蓝和豆沙红……

这些一直存在于周瓒的想象，原来真的很好。虽然她的装扮并非为他。

第二十九章

另一片树叶

WE

Chapter Twenty-nine

阿珑和子歉的消失并未及时被人觉察，因为酒席上爆发了一场更吸引人眼球的纠纷——喝多了几杯的隆兄和周子翼打了起来。

事情的根源并不复杂。隆兄和周子翼过去也是常常混在一块的狐朋狗友。近年来周子翼玩心渐有收敛，隆兄几次相邀他都推托了，要不然就是玩得好好的，家里的女人一个电话打来，他就要全场噤声，然后屁股像长了钉似的再也坐不住。隆兄深感扫兴，身为友人他实在不认为周子翼有必要如此惧内。今晚他没要到邻桌美女的电话，借道贺为由悻悻地找周子翼喝了几杯，还问有没有安排余兴节目。周子翼笑着说现在孩子太小，出去玩也无法尽兴。隆兄一听，借着酒劲嘲笑周子翼变得太婆妈，一个大男人被老婆管得服服帖帖说出去笑死人了。周子翼起初并未动气，还拉着隆兄喝酒，直到隆兄把话题扯到了陈洁洁身上，说什么“那女人再好也是二手豪车，跟外面的野男人连孩子都生了，你不嫌弃她就不错了，凭什么让她骑到你的头上。”周子翼面色铁青，要隆兄闭嘴。隆兄收不住话，被周子翼一拳打得唇角开裂，他气不过，两人扭打在一起。

祁善和周瓒听到里面闹哄哄的就站在门口看了一眼，那时周子翼和隆兄已被双方的熟人拉开。主桌成了斗殴的重灾区，一片狼藉，几个长辈的脸色都十分难看。

祁善问身边的人：“你要不要去劝劝？”

周瓒不以为然，说：“打不起来了，我去凑什么热闹。隆兄那张破嘴太贱，等他酒醒什么事都没了。”他把手搭在祁善的肩上，建议道：“穿得那么漂亮别浪费了，我带你去转转？我知道有个地方很安静，环境也好。”

祁善原本与子歉约好了酒席散场后两人一起去走走，为此她才花了工夫拾掇自己，没想到被横生出来的枝节打乱了计划，心中难免有些郁闷。她用手机把肩头上不属于自己的那只手挑了下去，回绝道：“不了。我回家，你不顺路，我打车好了。”

她一点退路都不留，周瓒脸上有些挂不住，想讽刺她几句，话都到嘴边了，又觉得累得慌，心累。他也不废话，静静看了她几秒之后掉头就走。祁善按亮手机，子歉还是没有打电话过来，看来是被事情绊住了，按周瓒的说法她现在打过去也不合适。她不经意回头，远远地看到陈洁洁抱着小儿子站在花门一侧。从陈洁洁的角度，刚才隆兄和周子翼之间的摩擦应该逃不过她的眼睛，也不知道她心里作何想法。

早在陈洁洁和周子翼谈恋爱的那几年，祁善已认识周瓒的这个堂嫂。她们偶有往来，对彼此印象都很不错。祁善想去安慰几句，又怕言语无力，让对方更不好受。

陈洁洁和周子翼过去的事祁善听说过一些。周子翼婚前花心浪荡，陈洁洁也有一个“污点”，她年纪很小的时候曾跟一个男孩私奔，后来那男孩出了事，她被父母带回家，两年后认识了周子翼，两人结了婚。是有一些捕风捉影的传闻，说陈洁洁当年和那个男孩还生了个女儿，只不过后来病死了。在祁善眼里，周瓒大堂哥夫妇俩始终是对感情不错的夫妻，她曾把他们当作弃尽前尘厮守终身的一段佳话。然而现在看来恰如嘉楠阿姨所说，假如心中不曾真正对瑕疵释怀，无论过了多少年，该介意的还是会介意。

周瓒对阿珑做的“好事”终究纸包不住火，第二天一早，他被周启秀叫到办公室。当着老秦夫妇的面，周启秀狠狠扇了周瓒两记耳光。周瓒没有反抗，也并未争辩，老老实实向老秦夫妇赔不是，说自己一时玩心太重，和阿珑开玩笑过了头。老秦面色阴郁，一言不发。

周启秀也亲自赔罪，还提出要带着周瓒当面去向阿珑道歉。老秦没有答应，叹了口气对周启秀说：“算了，她现在不想见他。我老了，年轻人的事我也理不明白，随他们去吧。”

送走了老秦夫妇，周启秀一回到办公室就指着周瓒的鼻梁痛骂：“你胆子太大了，不知天高地厚。要不是子歉替你善后，你还要捅出多大的娄子！”

周瓒摸着脸颊上慢慢肿起来的巴掌印，老头子下手还真重，晚上看来没法出去见人了。不过现在的事态和他的设想并无多大出入，他做得出那种事，就早有心理准备，苦头是要吃一点的，道歉也必须诚恳。好在老秦只是憎恶他，并无进一步深究的打算，他的目的也算达到了。

“子歉什么都好，让他去做秦家的女婿不是正合适？”他在周启秀办公桌对面坐了下来，闲闲地说风凉话。

“你啊你，当心聪明反被聪明误！”周启秀的火气消停了一些，但口气依然带着责备，“你不想娶阿珑我心里有数，可也不能任着性子胡来！”

“爸，你说说还有什么更好的办法？”周瓒摆出洗耳恭听的姿态。

周启秀沉默。阿珑恨上了周瓒，老秦再世故也不会完全罔顾女儿的意愿，他们两人的事基本没戏了，这总比周启秀自己出面得罪老秦强。老秦把这件事归结为年轻人之间的纠纷已经是给了他一个台阶下。

可周瓒死猪不怕开水烫的样子还是让周启秀来气，“你不去招惹阿珑又怎么会惹来一身麻烦？”

“这事也能怪我？”周瓒大呼冤屈，“她非要看上我，你让我毁容还是自残？”

“身正不怕影斜。你这些年在外面胡闹得还不够？年纪也不小了，该收心了！”

“你让我把心收到哪去？”

“还好意思问。也不知道你心里想什么，小善那么好的孩子，你也……”

周瓒脸上疼得厉害，又听他爸絮絮叨叨一番数落，心里本已不耐，这会又提到祁善，他更无名火起。祁善那家伙不就是找了个男人，立刻就要和他撇得一干二净。他昨晚赌气走了，想起她穿成那样怕路上不安全，又好心给她打电话，结果打了半小时都是“通话中”。他明知道最有可能的是她和周子歉煲电话粥呢，偏偏犯贱，非要和自己过不去，越打不通越不停地打，想看看她和周子歉能有多少话聊。快十二点她终于接了电话，迷迷糊糊地说她已经睡下了。她竟睡得心安理得！

“小善小善小善……她算什么呀。爸，你来来去去老提起她不烦吗？”

周启秀莫名其妙，他不过是说了一次小善的名字。他沉着脸道：“小善有什么不好，你能娶到她那样的女孩是福气！”

“你以为我肯娶她，她就肯跟我？”周瓒心浮气躁地嚷了一声。

这下周启秀稍微悟到了其中的门道。风水轮流转，也有他小子吃瘪的时候。周启秀搬离老宅以后，和祁善见面不如从前频繁，占据他大部分记忆的仍是从前祁善受了周瓒欺负还替他说情的片段。儿子的心性周启秀焉能不知，他说道：“自作孽，不可活。现在懂得后悔了？”

“我后悔？笑话，反正我也看不上她！”

“太犟了不是好事。就像我和你妈妈……”

周启秀没有想到他有感而发的一句话激怒了周瓒。

“别提我妈！”周瓒咬牙道，“也别拿你们俩的事套在我身上！”

周启秀一愣，“我是为你好。”

“好什么？我没见过比你们还失败的感情。”周瓒心中有种走投无路的怨怼，不仅为了他死去的妈妈，也为了他自己的困境，“口口声声说爱，到头来除了吵架、冷战、算计你们之间还剩下什么？就是因为你们，我才看腻了什么感情啊、承诺啊……全是狗屁！你们发过的誓哪一条兑现了？”

在周启秀和冯嘉楠伤痕累累的婚姻关系里，周瓒始终冷眼旁观，懂事以后，他从未对此表达过自己的想法，也未旗帜鲜明地站队。他和妈妈更亲密一些，母子俩别别扭扭，也胜过他和周启秀常年冷淡。周启秀想过儿子或许心里有恨，却没料到在周瓒眼里他们的婚姻是那样不堪。

“好，好！我承认我们没有给你做一个好的榜样，可是你以为我愿意走到今天这一步？”周启秀无力道。

周瓒像是听到了天大的笑话，“你有什么不愿意的？从婚前出轨到婚后。睡完村姑睡下属，什么女客户、牌友、歌友，哪一个你没搞过？”

作为儿子，周瓒这些话实在太过逾越，周启秀保养得宜的面庞涨成了猪肝色，手在空中往下按了按，仿佛这样可以让自己和儿子都冷静一些，“阿瓒，你有怨气，我理解。可你也要公平点。子歉妈妈的事在我和你妈认识之前，是我的错我认，已经发生的事不可能彻底抹杀。你妈妈答应过看在你的分上接受我从前的过错，可她这辈子都没有真正原谅过我，也没有真正信任过我！”

“说来说去，还是她的错了？”周瓒双手抓着转椅的扶手，愤恨道，“我妈最错的一件事是记性太好，到死都改不了。我收拾她遗物的时候，你猜我在她钱夹里看到了什么——你当年写给她的第一封信。只有一页信纸，被她叠得好好的藏在夹层里。她说她不相信了，可她忘不掉。要我复述里面的甜言蜜语吗？你没脸听！”

周启秀站了起来，双手用力撑在办公桌上才能让身体保持稳定。他张嘴，没有发出声音，又颓然坐下。冯嘉楠去世八年了，除了出殡前的那一夜，儿子再也没有和他谈论过关于她的事。周启秀也尝试过问周瓒，他妈妈去世前有没有留下什么东西，哪怕只字片语与他相关的也好。周瓒总是岔开话题，这是他们父子之间绕不过去的心结。

“死心塌地的那个人蠢死了，没心肝的才逍遥自在。你看你现在过得多好，数不清的女人排着队投怀送抱，她们可比我妈年轻、听话多了！”

周启秀低声道：“我没有一天忘记过你妈妈。”

“一边想着她，一边睡比她年轻三十岁的女人？”周瓒冷笑。

“我的错我不想回避。我不是个抵得住诱惑的人，但我能拍着我的胸口说，在和你妈妈婚姻存续期间，我没有跟任何一个女人有过实质性的关系。那些年但凡你妈妈肯说一句软话，或者她选择相信我一回，我和她万万不会走到今天。她处理痛苦的方式不是解决痛苦，而是更强势地镇压，要对方比她更痛。”周启秀面色惨淡，话里不无苦涩，“阿瓒，你不信也罢。我爱你妈妈，哪怕这辈子在她面前我都只是那个农村小子，哪怕她恨我。为了留住她，我做了我能做的极限。”

周瓒的眼里果然充满了质疑，“你为她做过什么？写一百封信，还是说了二十年的甜言蜜语？”

周启秀笑笑，说：“你记得我跟你说过，我不会在外面有别的孩子吗？我也对你妈妈做过这样的保证。我问她，要怎么样才肯相信我，留在我的身边。她说除非我去做绝育。我答应了她，可她最后还是走了。”

周瓒离开周启秀办公室时，带着满心的震惊。周启秀靠在椅背上，许久没有动弹，他背对着办公室的门口，忽又听到有人走了进来。

只有阿瓒敢大大咧咧地进出他的办公领域，秘书也不会通传。周启秀疲惫地说：“你还把我当你爸，就让我喘口气。”

他身后的人沉默，这却不是周瓒的作风。周启秀转过身来，发现站在他对面的人换成了子歉。

“二叔。”子歉的视线与周启秀短暂地交会，又微微垂首，说，“对不起，我敲了门，您没有听见。”

“有事？”子歉脸上还是惯常的沉着，可周启秀心里清楚，若非有要紧的事，这孩子不会这样贸贸然跑来，“先坐下吧。”

子歉一直很听周启秀的话，但他没有坐下，依然站得笔直而恭敬。

“二叔，我有一件事想跟您商量。是私事，本来不应该占用办公时间的，但您最近太忙，这件事对我也很重要。”子歉再度望向周启秀微微流露出惊讶的面孔，“我和祁善认识很久了，我们相互喜欢，决定要在一起。为尊重起见，我想正式去拜访祁叔叔、沈阿姨一次。您是我的……长辈，我希望您能陪我出面，以家长的身份。”

周启秀想，老秦说得很对，他们老了。今天接收的信息量过大，他一时竟转不过弯来。阿瓒对祁善……祁善和子歉……他拨动着桌上的金笔，问：“子歉，你和小善是什么时候开始的事？其他人知道吗？”

子歉心里自然清楚让二叔介意的“其他人”是谁。他点点头，“我们还没有正式公开，但阿瓒好像看出来了。”

周启秀用手支额，沉吟许久才说道：“你是个好孩子，找到了一个好姑娘，我应该替你高兴。可我们家和小善家关系特殊，你也知道她爸妈都是我的好朋友。你们年轻人的事自己做主，假如我特意为这件事去见老祁和晓星，这就成了两个家庭的事。按你的说法你和小善刚开始交往不久，用不着操之过急。这样吧，你们先好好相处，等感情稳定下来，水到渠成，我一定会出面替你做主。这是好事！”

子歉默默不语。

周启秀又说道：“昨天你送阿珑回去还顺利吧？这件事你做得很好。”

子歉垂首道：“很顺利，她受了点惊吓，没什么事。”

他们又闲聊了几句，子歉顺便翻出了几件工作上的事向周启秀请示，周启秀很满意他的处理方式。子歉身为周启秀的特助，这些年大大小小的事交到他手里，没有周启秀不放心的。

下班后，子歉在没有公事应酬的情况下破天荒地去喝了几杯。他想起二叔停留在他身上的目光，赞许而欣慰。这也是子歉努力追求的目标。人像树叶，本能地生长，不想被上面的枝叶遮挡，就得想尽办法在缝隙中享受一点阳光。子歉就是后来的那片树叶，他必须找到自己的位置，去做一个更省心、更能干的儿子，不让“二叔”失望。他要和周瓒完全不一样。

然而如果他像周瓒那般放肆张狂，任性而为，二叔又会如何？会像对待周瓒一样看似摇头叹息、严厉训诫，实则无底线地包容吗？子歉忽然羡慕起周瓒敢于让周启秀失望的无畏，那才是做儿子的底气。子歉做每一件事都想了又想，最后也难以如愿。

今天换作周瓒在二叔面前提起他和祁善的感情进展，二叔的第一反应会是担心子歉知情吗？不，二叔一定会喜出望外，然后极力促成他和祁善的好事。

子歉终于明白，他和周瓒天生不同。周瓒才是周启秀和他爱过的女人唯一的骨肉。当子歉在老家玩泥巴、捉蚂蚱、孤独时幻想自己的父亲时，周瓒在周启秀膝下成长。周启秀见证了他嗷嗷待哺，蹒跚学步，第一次开口叫爸爸，哭着上学、别扭地步入青春期、成年……这是父子完整的相处过程。因为子歉的妈妈是不被爱的，他的身份见不得光，所以他注定缺失了这一部分。假如周启秀出于歉疚，心里的天平曾短暂地向子歉倾斜，那么周瓒妈妈的骤然离世却让周启秀再也没办法对周瓒硬起心肠。只要周瓒愿意，他很容易就能够讨得周启秀欢心。而无论子歉怎样兢兢业业地跟随在周启秀身后，终究隔了一层，连光明正大地喊一声“爸爸”也是奢望。

以前周瓒不愿意留在公司，周启秀生了一场气就放任他在外面了。这几年公司事务繁忙，周启秀身体也不如前，子歉提出过让周瓒回来帮把手，周启秀没有答应。子歉还以为二叔是对周瓒彻底死了心，现在想想，也许二叔怕将来周瓒有可能卷入是非之中，宁愿他不成器，也要护他周全。在秦珑这件事上，假如周瓒不兵行险着，二叔就算冒着得罪老秦的风险，也未必会让周瓒娶一个他不喜欢的女人。

昨天晚上子歉把秦珑送回家，在车上，他没有说话，秦珑也有些走神，却不时在副驾驶座上悄悄看着他。到了秦家，从小带大秦珑的保姆迎了上来，对方只听说子歉姓“周”，就默认为他是秦珑心心念念的周家小子。子歉告辞之前，他听到保姆在身后对秦珑窃窃私语：“你说他有点花心，我怎么觉得小伙子看上去可靠得很？”

秦珑没有附和，也没有否认。

子歉有一种不太妙的预感，这让他联想到周瓒目送他和秦珑从泳池边离开时的样子，兴致盎然，像期待着好戏开锣。事后，子歉和祁善在电话里聊了许久，祁善温和的笑和她说话时稍慢的语调也无法再让子歉的心安定，他越来越害怕他会错失祁善，这直接导致他今天在二叔面前冒失了一回。

好酒量有时是种拖累，子歉忘了自己喝了多少杯，结果只是让他脑袋疼。这种时候他仍不敢忘记，明天早上八点还有个会议，二叔要他来主持，他不能出一点差错。对周瓒的羡慕只能是醉时疯语，子歉不敢那样做，更不想。他会继续做二叔身边最得力的那个人，不为财富，也不为野心，只为二叔看他时由衷的欣慰，这是专属于他的温情，既廉价又珍贵。

子歉付账起身，一个举着托盘的吧台小妹撞了上来，有几滴酒溅到子歉的身上。小妹慌张地道歉，她弯着腰，个子娇小，身上穿着稍大的制服。

“没关系。”子歉安慰她。他想到了青溪，儿时最喜欢跟在他身后的小尾巴。她也做着相差无几的工作，当她偶尔出了差错，那些喝醉了的顾客是否也会体谅她?

子歉累极了，他打了个盹，迷迷糊糊醒来后发现自己在车上。车停在距离酒吧不远的空旷马路上，路灯耀眼，已是深夜。他甩头，试图再次发动车子，有人敲响了他的车窗。一个浓妆短裙的年轻女孩弯腰看着车内。子歉摆手拒绝，他没有路边买艳的嗜好。可对方并未放弃，敲击车窗的手更见焦急。子歉可怜她谋生不易，摇下车窗让她走，以免靠得太近，发动车子时蹭了她。

“阿谦！”

几乎也是在她开口的那一瞬间，子歉正视她的脸，他认出了对方。

“青溪？你怎么在这里？”

他让她坐了进来。夜风沁凉，她穿得少，露在外面的皮肤起了细密的小疙瘩。

子歉问：“你在外面等了多久？”

“我挂了电话就请假出来了。”青溪微笑道，“你睡着了，怎么叫都不醒。”

她从车上抽了一张纸巾擦拭着眼皮上的妆，顺道做了个鬼脸，“我们老板最近要求所有服务生都化这样的妆，你都认不出我了吧？”

子歉也想笑，像她一样随意轻松。可惜他笑不出来，这是他近七八年来第二次看到魏青溪。留在他心里的她还是那个在酒窖里偷偷灌他酒的黑皮小丫头，黄头发，白牙齿，没有浓妆，也不会在夜风中发抖。

他想起来了，是他先给青溪打的电话，她当时在KTV里值班，手机不允许带在身边。子歉只是想问她过得好不好，那天在隆兄的会所两人乍然相逢，匆匆留了个电话便没有再联系。等到青溪发现来电，匆匆打回来给他，那时子歉已晕得没有办法再开车，停靠在路边，对她报了个大概位置。

清醒时的子歉绝不会做这样莽撞的事，他都不敢想她是怎么在一条长街上找到他的，又独自在马路边坐了多久。

“你住在哪？”子歉打算送她回去。

青溪说：“我在公司附近租了个房子。”

她说的地方并不远，很快，子歉把车停在了一个杂乱无章的城中村入口。

原来她就住在这样的地方。可她还能住在哪里？

青溪一点也没在意子歉有些复杂的思绪。她的眼影被擦拭得乱七八糟，眼睛圆溜溜的，笑容没心没肺，看起来像山中的某种小动物，滑稽又单纯，还有他曾熟悉的野性。

“我室友今天上通宵夜班，你要上来坐坐吗？”青溪推开了车门，又回过头来问子歉。

第三十章

你方唱罢我登场

Chapter Thirty

酒能误事，隆兄深有感触。他人不坏，对朋友热心仗义，是性情中人，喝了几杯黄汤容易做糊涂事。别人夫妻之间的秘辛与他何干？何况他与周子翼关系匪浅，平日里陈洁洁也并不让他生厌。他酒醒后为自己的无理言行懊恼不已，一心想办法做点事来挽回。

几天后，子歉接到隆兄的邀请，说是他占股的度假山庄试营业在即，想请几个好朋友赏脸到山上小住。

子歉和隆兄往来不少，可他们不是一路人，“好朋友”三个字是谈不上的。这种私人聚会隆兄通常也不会找上门来。子歉疑心他另有所图，果然，没过多久，堂哥周子翼也打电话来，让子歉周末如果没有别的要事，就给隆兄一个面子。原来隆兄是想以测试山庄运营状况为由把周子翼夫妇请出来，郑重地赔礼道歉。为表示他的诚意，多几个看客到场见证当然更好。

周子翼说：“隆兄就是那副臭德行，他的醉话和放屁没两样。他既然有这个心，你嫂子也说不用和他计较。多来几个人热闹热闹，省得到时尴尬。”

与此同时，祁善也接到陈洁洁的邀约，陈洁洁说山上空气好，还有一片碑林，她想听听祁善说里面的门道。祁善却不太热衷，她推说自己周末还有点资料需要整理。

“是因为阿瓒也会去的缘故吗？”子歉事后问她。

祁善没料到子歉会这么说，她否认：“当然不是，跟他有什么关系！”

“你们毕竟是好朋友，我和你的事，你顾忌他的想法也没错。”子歉微笑着与祁善十指相扣，“既然绕不过去，终究是要克服的。我们在一起后好像还没有出去散过心。”

祁善笑着说：“要散心也不用和一群人闹哄哄地凑一块。”

“可我想让别人见见我的女朋友。”子歉把两人的手举起来，蹭过祁善发烫的脸颊，低声道，“你想我们俩单独去‘散心’，以后有的是机会。”

祁善并不介意公开和子歉的关系，她想过大家或许会有些惊讶，然而他们问心无愧，不必遮掩。况且最有可能有抵触的那个人也已然知情，如子歉所说，他们要长久地在一起，有些人和事总要去面对。她是有过犹豫，可这经不起推敲，她没有任何理由因为周瓒的介意而停下自己追求幸福的步伐。身为朋友，她不欠他的。

隆兄的度假山庄在郊县的谷阳山顶，地势陡峭，风景却得天独厚。山庄存在已久，占据景区的核心位置，早些年主打养生主题，设施日渐老旧。隆兄接手后将它进行了彻底的修缮改造，历时两年，总算具备了重新开门迎客的条件。一干人等按事前的约定在山脚下集合，待人齐后，车队一块上山。

祁善从子歉的车里下来，当即就引来了有心人的关注。陈洁洁抱着小儿子站在周子翼身后，揶揄道：“难怪不想坐我的车，看来另有护花使者。”

子歉拉着祁善的手，大大方方地叫了一声：“大哥，嫂子。”山风凛冽，他顺手把祁善外套上的风帽拉起来罩在她头上，祁善配合他的手势把头发塞到耳后，面色赧然，眼里却有恋爱中的女人特有的光芒和喜悦。一切不言而喻。

“周子谦，你也来了。”一声娇呼传来。隆兄的车上飞快地跑下来一个人，原来是阿珑。她几步冲到子歉跟前，一脸惊喜，在看到子歉身边的祁善时，脸上又流露出几分疑惑。

隆兄挠着脑袋跟在后头，不着边际地提醒道："我不是告诉过你吗，他叫周子歉，是'歉'不是'谦'！"

"可你怎么没说……"阿珑毫不掩饰自己对祁善的好奇，嘴里是在问她小舅舅，眼睛却打量着子歉，"她是谁？"

"没礼貌！"隆兄拿出长辈的架势教训阿珑，继而又笑嘻嘻介绍，"这是祁善。亏你老围着周瓒转，连她都不认识。她可是周瓒的发小，光屁股长大的朋友！"

祁善轻咳一声。隆兄也意识到自己的话有失妥当，嘿嘿一笑，弥补道："光没光屁股我不知道，反正关系好得很！"

这还不如不说。祁善无语，目光与子歉交会，他似乎也只是觉得好笑又无奈。

"别跟我提周瓒，我和他一点关系也没有。"阿珑皱着鼻子道。

隆兄那天晚上喝醉了，事后才听说阿珑落水的事，人没大碍就好，他哪里会懂得小姑娘的一片少女痴心已悄然粉碎在水中。他咧嘴笑道："好好好，你和周瓒没关系。那为什么你妈叫你去日本你不肯，非跟着我上山？"

阿珑好像没听到隆兄的话。祁善忙着把被风吹得飞散的头发扎起来，因而松开了子歉的手，只是站在他的身边。阿珑当她只是周瓒的朋友，也不甚在意，朝她点了点头，就开心地对子歉说："我给你打电话你怎么老是说没空？你救了我，我还没好好感谢你呢。"

"小事一桩，不用麻烦了。"子歉没想到阿珑今天也会来，想起她这两天的电话轰炸，不禁有些头痛，委婉道，"我最近都比较忙。"

阿珑才不理会这些托词，她嘟着嘴，"你帮周叔叔打理公司的事，他总不能不让你下班吧！”

“下班后我有我的私事。”

“什么私事？我可以帮忙吗？”

隆兄听了忍不住笑出声来。子歉耐着性子道：“我要陪女朋友。”

他又一次轻轻牵起祁善的手。祁善过去没来过大名鼎鼎的谷阳山，正仰着头观察羊肠般的盘山小路，觉察到子歉的触碰，她回神朝他会心一笑。

“她是你女朋友？”阿珑感到意外，重新开始留意祁善。阿珑得承认对方和周子歉是相配的，至少看起来比她是周瓒好朋友这件事更具合理性。

祁善客气地对阿珑说“你好”。阿珑也不绕弯子，直截了当地说：“我是秦珑。你男朋友是好人，没有他我可能已经被你好朋友弄死了。”

“别说得那么吓人。”隆兄插话，“等下周瓒来了，让他给你道个歉，这件事不要提了。”提起道歉这件事，隆兄看向不远处哄着孩子的陈洁洁，弯腰赔了个笑脸，“还是洁洁深明大义，大人不记小人过。”

陈洁洁笑笑，“你说什么？我反正是带着孩子来山上透透气罢了。”

趁着男人们讨论上山的路况，陈洁洁把祁善叫到车旁，问她：“你们……当真？”

“嗯。”祁善帮陈洁洁拿着摇铃哄孩子入睡。

陈洁洁似乎还在判断她话里的可信度，可也挑不出什么破绽，她眼波灵动，笑着挽了祁善的手说：“管他呢，反正我们往后这妯娌关系是跑不掉的。”

到了下午，周瓒才和另外几个朋友上山。隆兄生怕他的单身兄弟们玩得不尽兴，还特意叫了几个漂亮的小嫩模同行。祁善和子歉步行去看瀑布回来，听说周瓒他们一行人在山庄后面泡温泉。阿珑百无聊赖地猫在大堂看工作人员炒茶叶，一见子歉就机敏地蹿了过来。

“我爸常说‘授人以鱼不如授人以渔’，你教会我游泳，我以后才不会再溺水呀。”阿珑缠着子歉说。

子歉说：“让你小舅舅教你吧，他的朋友里也有很多人会游泳。”

“我舅舅他现在才不会理我。”阿珑不屑道，“他越来越过分了，什么场合都敢把那些乱七八糟的女人带出来。还是你最好。”

子歉显然对这样的溢美之词难以消受，皱着眉一言不发。

“救人救到底！你不肯教我是不是？我回去告诉周叔叔你欺负我！”阿珑发现了，子歉看起来严肃，实际上却远比周瓒好说话。她的态度也更无所顾忌，见子歉为难，转而打起祁善的主意，“祁善姐，你要是不放心你男朋友，也一起来嘛！”

祁善心知子歉顾忌阿秀叔叔和阿珑她爸爸的关系不便直接拒绝，她相信子歉的为人，听说游泳池紧挨着温泉，她自己不打算过去凑热闹，便对子歉说道：“你去吧。洁姐叫我去陪她聊会天。”

等到陈洁洁和孩子睡下了，祁善也回房补了个午觉。她接到子歉的电话才醒来，子歉叫她一起去吃晚饭。祁善换了身衣服，打开房门，听到走廊尽头传来一阵嬉笑吵闹，几对披着浴巾或穿着泳衣的年轻男女从电梯间走过来。

隆兄这次带来的朋友都住在同一楼层。祁善看到了周瓒，他赤着脚，衣服湿漉漉地贴在身上，身后跟了个年轻俏丽的比基尼女孩。

“哟，你在我隔壁房间？”周瓒对上她也笑了，用房卡开了门却不急着进去，甩着头发上的水，说，“隆兄太没眼力见，居然给你和周子歉安排了两个房间。也怪你们自己之前遮遮掩掩，这让周子歉这种正人君子怎么好下手？”

他身后的女孩子等得不耐，鱼儿一样从他身侧溜进了房里，径直去了浴室。祁善说：“你管好你自己就行了。”

“大家好才是真的好。你也不容易，难得有男朋友，我怕你错失良机。”周瓒对房间里的人说了声，“你急什么，给我拿条干毛巾。”

女孩娇脆的回答伴着水声传出来，“你自己进来拿嘛！”

周瓒应声进去拿了毛巾，脱下湿透的上衣又探出身来，祁善已走到了前面，他追问道：“我去让隆兄把周子歉的房间取消了，让他不得不上你这来。这样够朋友吗？”

祁善头也不回，声音平淡：“房间隔音一般，你动静小点就够朋友了。”

子歉在大堂等着祁善，他头发也未全干。祁善走上前问：“教会秦珑游泳了？”

子歉满脸吃不消，他当然也不会说起阿珑在泳池里八爪鱼似的往他身上爬的细节，只吐了口气道：“你以后不能再这么大方。”

祁善极少看到子歉这样抓狂，被逗得抿嘴偷乐。

隆兄已经在餐厅陪着陈洁洁夫妇有说有笑，看来心结已消。他招手让子歉和祁善也过来坐。祁善在陈洁洁身边逗孩子，子歉和周子翼聊着周启秀公司的近况。

有服务生过来为他们倒茶。子歉面前的杯子被满上，他正在和堂哥说起公司最近新拿下的一块地，忽听到有人在身旁说：“请喝茶。”那声音熟悉得叫人心惊。子歉顾不得失态猛然抬头，一声礼貌性的道谢也哽在喉间。

“没看到客人在说话吗？连倒茶都不会，是谁负责培训你们的？”隆兄只当服务生惊扰了子歉，不悦地呵斥。

“对不起，对不起！我以后会注意的。”青溪也不辩解，态度恭顺谦卑。

子歉回神，解释道：“不关她的事，我光顾着说话，没留心身边有人。”

“他啊，一提起工作的事，我跟他说话都未必听得进去。”祁善本不想多事，可她感到有些莫名其妙，好端端的怎么把一个服务生牵扯了进来？她主动把自己的空杯递到服务生捧着的茶壶旁，说：“这茶闻起来不错。”

“对对对，快尝尝这茶，山庄自己种，自己炒的。”隆兄果然把话题转到了茶叶上。

青溪立刻给祁善倒茶，滚烫的茶汤从壶口缓缓注入祁善的杯中，子歉目光片刻未敢松懈，唯恐那只执壶的手稍有偏移，祁善就遭了殃。

“小心茶烫！”他不允许有这种意外发生，那句话既是提醒祁善，也是提醒另一个人。

陈洁洁对周子翼笑道：“你以前还说子歉太木讷，怕他不会讨女孩子开心。瞧瞧，人家可比你体贴多了。”

“我对你不够好？你想喝我喂你都行。”周子翼哄老婆开心。

祁善对倒茶完毕的服务生微笑道谢，对方弯腰示意，转身走开。隆兄又说道：“现在山庄缺人手，我叫人从各个店里挑了几个机灵的员工暂时上山先顶着。要是还有不周到的地方，你们可一定要指出来。”

正说着，推车里的小家伙哇哇地哭了起来，陈洁洁把他抱在怀里哄着：“宝贝你饿了是不是？妈妈这就给你热奶。”保姆在房间陪着她大儿子午休，陈洁洁对周子翼说：“叫人给我拿点热水。”

周子翼招手示意服务员过来，一时无人响应。隆兄的急脾气又上来了，骂道：“这帮吃闲饭的尽给我丢人现眼。”

祁善怕孩子饿着，说：“热水是吧，我去拿。”

她刚站起来，子歉一把按住她仍搁在桌沿的手，皱眉道："我去！"

祁善笑了："你知道热奶的水需要多少度吗？"

祁善刚离桌几步，已有服务员匆匆赶了过来。她没让隆兄骂人，手里拿了水正要帮陈洁洁热奶，几个隆兄的朋友从外面陆续走进了餐厅，其中有一个人指着祁善笑了："咦，你不是瓒哥上次带出来的那个小妞吗？我们又见面了。我是阿标啊！"

祁善也认出了这人。周瓒有时怕祁善"闷坏了"，会强拉着她参加各种三教九流的聚会。祁善不热衷，可周瓒催得紧，她若有空也会去。周瓒玩他的，祁善喜欢在旁看别人玩各种稀奇古怪的游戏，在心里揣摩其中的门道，并不会觉得无聊。有一回在周瓒的酒吧，阿标不认识祁善，见她安分静坐，有心逗弄，非要和她猜拳。只要祁善不喝酒，周瓒也不拦着。按照五局三胜制，周瓒承诺只要祁善输了，他就当众钻桌子，对方若输了，就喝一瓶酒。阿标那天连灌了三瓶酒，当场吐了，才打死都忘不了祁善这张脸。

他过来和隆兄、周子翼都打了招呼，左顾右盼，问："瓒哥呢？"听到隆兄说周瓒等会就过来，阿标笑嘻嘻地坐下，又对祁善道："难怪瓒哥现在都不爱跟我们玩了，原来是像翼哥一样被人管着。距离我上次见你都一年多了，你们还在一块呢！以前可没见过他那么长情！"

阿标刚说完，隆兄往他后脑勺狠狠扇了一巴掌，"狗屁都不懂，胡说八道！"他又特意对子歉和祁善说，"这小子缺心眼，你们别往心里去。"

子歉并未介怀，只是笑笑。

阿标这才注意到子歉的手臂搭在祁善的椅背上，他意识到自己说错了话，又不知子歉的来路，不由得窘了。

"我和周瓒是朋友。"祁善对阿标说。

阿标见他们都没有往心里去，松了口气，为化解尴尬，又对祁善开起了玩笑，“我说嘛，瓒哥给自己找个女博士，总觉得哪里不对劲。”

“我不是博士，在读而已。”祁善较真的毛病又犯了，认真解释道。

“差不多啦！”阿标自封“拳圣”，在祁善手下连连惨败是他人生中的痛苦经历，这让他对祁善充满了好奇，想想又问道，“像你们这些女博士会在哪里高就？研究所，航空部门，还是做大教授？”

祁善说：“我在图书馆上班。”

“做图书管理员，就这样？”这个答案显然与阿标的想象有出入，他困惑道，“图书管理员一个月能有几个钱，那么多书不是白读了？”

话还没说完，有人在他脑后推了一把，他愤然回头，发现是周瓒站在他身后。

“图书管理员怎么啦？你多读点书就会知道中国近代史是被图书管理员改变的。金庸小说里武功最高的扫地僧也是干这行的，懂吗？”周瓒鄙夷道，“跟你这种人说话简直对牛弹琴。”

阿标露出巴结的笑容，连连道：“是，是，还是瓒哥觉悟高。”

祁善差点就笑了出来。周瓒这几句话完全是照搬祁善的说辞。过去最爱奚落祁善图书管理员身份的人可不就是他。周瓒常说祁善是榆木脑袋，读了一辈子的书，最后去管理书，一个月的工资还不够请他吃顿饭，那些当年抄她作业的人哪一个混得不比她强？图书管理员也罢了，她还不思进取。她最大的理想也只是做一个“优秀的”图书管理员，别说成为馆长，她连当个科长都没有想过，入职以来的两次管理岗位竞聘她都没有参与。周瓒毫不怀疑祁善会在资深馆员的岗位上熬到退休，连他这样的人都难免有几分恨铁不成钢的心态。

祁善倒不在乎别人对她的看法。她热爱她的职业，这也是她的理想。单纯悠闲的工作环境、免费享有数不尽的精神食粮。工资不高，但她的钱够用。她也没有野心，不想融入过于复杂的人际关系之中，不操心闲事，更不想管理别人。做一辈子的图书管理员有什么不好呢？好笑的是周瓒自己嘲笑她是家常便饭，别人说同样的话，他听来却老大不高兴，仿佛被人剥夺了他欺负她的乐趣。

第三十一章

不可触碰的禁区

WE

Chapter Thirty-one

周瓒和朋友聊天，他身边跟着的女孩自觉地去找其他小姐妹去了。几个肤白胸大、打扮入时的漂亮女孩聚在一块，犹如餐厅里一个炽亮的聚焦点，男人们的眼睛都忍不住往那边瞄。周子翼因此被陈洁洁拧了大腿，痛得敢怒不敢言。

陈洁洁对于周瓒和那些女孩子混在一起也表现出不赞同，她批评道："我说你越活越回头了。小孩同一种游戏玩久了也会腻，你连小孩子都不如。有什么意思！"

"嫂子，这你就不懂了。这事当然有意思，你没看到那小妞身材有多正？"阿标替周瓒说话，"瓒哥现在已经够修身养性了，要是以前……哎哟！"

隆兄又给阿标的脑袋来了一下，瞪眼道："有你说话的份吗？"

阿标一脸委屈，周瓒也不理他，笑吟吟地看着挨着坐的两人，对祁善说："总算不藏着掖着了，我是不是很快就要喝到你们的喜酒了？"

"要结婚？到时也给我发请帖，让我去凑凑热闹！"阿标出来拯救冷场的局面，反正他不说话闲得慌。他刚才偷偷问了隆兄，打听清楚了子歉的身份。他主动对周瓒揭自己的短："瓒哥你没来之前我差点闹了笑话。我还以为你当真找了个女博士，想不到她是你未来的嫂子！"

阿标呵呵呵的笑声像有魔力一般，神奇地终止了其他人说话的欲望。最后隆兄忍无可忍再度出手，吼道："滚蛋！"

阿标莫名其妙地捂着脑袋。他到了晚上也没想清楚，到底他们是什么关系，以至于他说的每一句话都是错的。

过了一会，陈洁洁不咸不淡地插了一句话："早点结婚没什么不好。我看祁善也是喜欢孩子的人，将来一定是个好妈妈。趁早生一个，到时候阿瓒你还得封个大红包，孩子可是要叫你叔叔的。"

周瓒单手转着面前的茶杯，半晌才说："你不肯生孩子了，除非我哥出去找别的女人，生出来的孩子才叫我'叔叔'。"

周子翼马上撇得一干二净，"你们说你们的，别把我扯进来。还没影的事，都少说两句！"

"什么事还没影呢？"阿珑背着手，笑嘻嘻地站在隆兄身后。隆兄后悔把他们找来了，他应该悄悄找个地方给周子翼和陈洁洁倒茶赔罪了结，现在正应了那句话：瞎子帮忙，越帮越忙。

阿珑看到周瓒在场，俏生生的一张脸耷拉了下来，可她非要摆出不怕他的样子，明明是他理亏。周瓒倒也洒脱，随手端了茶杯对阿珑说："那天的事是我不对。正好有机会，我说'对不起'了。"

阿珑从鼻子里哼了一声，任周瓒的手在空中僵了一会，才夺过茶杯一口喝尽，大声道："没关系，我还要谢谢你！"

既然阿珑打算坐在这一桌，周瓒也顺势去了美人堆里。酒过三巡，隆兄过来找周瓒，揽着他的肩膀把他往边上带，问："最近你忙什么？神龙见首不见尾的。"

周瓒漫不经心道："我也要混饭吃的好不好，上次那个小额融资公司刚起步，总不能让它一直赔着。"

"以前怎么没见你那么卖力。"隆兄四下张望之后，掏心掏肺地说，"你老实跟哥说，是不是因为祁善。看她斯斯文文的，想不到有两下子，转头就和周子歉搞在一起。你上回让我安排在周子歉身边的那个服务员，我也给你弄山上来了。有需要哥的地方尽管说，急伤胃气伤肝，别憋着啊。”

周瓒哭笑不得，他往隆兄指的方位看过去，那个叫“魏青溪”的女孩被安排在餐厅吧台值班。他最近心烦，差点都把她给忘了。恰是这一眼，让周瓒瞧见祁善走到吧台边和魏青溪说了几句话。周瓒感到蹊跷，从他的角度看过去，祁善的脸色不太好。莫非她知道了魏青溪和周子歉的关系？以周子歉的谨慎，应该不至于！周瓒又顺藤摸瓜地去看子歉的反应，阿珑正在他身边说个没完，他显然心不在焉，视线也不时投向吧台的方位。

“你别光看不动啊。想上就上，不上就晚了。”隆兄见周瓒晃神，替他干着急，“如果不是早知道你和她在三亚的时候就好上了，这么多年不容易，我都想劝你算了。要我说祁善也就那样，阿标话糙理不糙，女博士能顶什么用？难道还多出一个……”

周瓒赶在隆兄说出难听的话之前打断他：“说过多少次了，我和她以前没什么。”他见隆兄一副“你当我傻啊”的表情，苦笑道，“我欠了祁善的钱！融资公司里有她的嫁妆，不趁早回本还给她，我爸不撕了我才怪。”

隆兄自然还是不信的，周瓒也懒得再说。他确实是在忙着融资公司的事。亏谁的钱也不能亏祁善的，否则下次他再走投无路的时候找谁去？祁善是周瓒的退路，他的安身立命之地。可她如果真的嫁给了周子歉，她的嫁妆，她的人，她的全部生活都将属于周子歉，周瓒又该如何自处？

祁善从洗手间出来，心里正犯愁呢，头发忽然被人扯了一下。周瓒站在她身后，满心狐疑，“你干什么？”

这话难道不是该她来问吗？祁善说，“上厕所！”

“我问你为什么老往厕所跑？”

“我喝了太多水不行吗？”

周瓒失去了耐心，光他刚才看见的，半小时之内祁善已经第二回跑厕所了，脸色一次比一次糟糕，“别废话啊，快说你出了什么毛病！”

祁善原本没有表情的脸上悄然多了一抹红，期期艾艾了一会，横下心说：“哎呀，是那个……”

“哪个？”周瓒咬牙切齿，声音也抬高了，可就在某一瞬间，他忽然反应了过来，长长地“哦”了一声，面色变得缓和。在周瓒看来，祁善的心理素质堪忧。她心里但凡有事，要不就不停喝水，甚至内分泌也会受影响。在他记忆里有过好几回这样的经历，第二天就要去旅游，或者有重要的活动安排，她的大姨妈会莫名其妙地提前，杀她个措手不及。他试过在中考前受命给她送红糖水，也在少林寺陪她去买过女性用品。这样想来，今天的大姨妈肯定也不在计划之中，难怪她坐立不安。

“那也不用像没头苍蝇一样，吓我一跳！”周瓒抱怨。

“我什么准备都没有。”祁善苦恼得很，她刚才向隆兄打听过了，山庄还没正式开业，并无日用品出售，陈洁洁那里也没有她想要的东西。她翻遍包包，找到了一片护垫，可也顶不了多久。她别扭地转身，问周瓒：“我裤子没事吧？”

周瓒低头，在牛仔裤的包裹下她臀型还不错。

“看到了吗？”

“看到了……哦，没有。”

“明天才下山，我今晚怎么办呀！”祁善被周瓒看穿了，也顾不上矜持，苦着脸哀叹一声。

“要不要我去问那几个女孩子有没有带那玩意？”周瓒提议道。

祁善眼睛放光，“好，你快去。”

几分钟后，周瓒去而复返，祁善一脸期待：“她们有没有？”

周瓒一言不发地推着她往前走，祁善犹在追问：“到底有没有呀？”

“我没问！”周瓒闷声道。他不知该怎么向她描述，他一回到位子上，几个女孩子围着他笑闹，他憋了几次，实在开不了那个口问她们：“你们谁有卫生巾？”

祁善绝望道：“我完蛋了！”

“你不可以去买？”周瓒没好气，他刚才回去拿了车钥匙，说，“我陪你下山。”

周瓒的意思是让祁善和他迅速到山下的小镇把东西买了，再神不知鬼不觉地回来。祁善觉得不妥，山路蜿蜒漫长，来回至少两个小时，即使要去，也得和子歉说一声，免得对方担心。

祁善尚未把自己的尴尬事向子歉说明，他们还处在恋爱的最初阶段，每次单独相处都希望在对方面前呈现完美的状态。祁善尽力掩饰，然而子歉仍然有所察觉，他问过她是否身体不舒服，她给出的答案同样是“水喝多了”。

子歉心里有自己的顾虑。祁善第二次去洗手间用了很长的时间，子歉去找她，可经过吧台时他停下了脚步，青溪正一个人在那里擦拭红酒杯。

“你做了什么？”子歉问她。

青溪抬头，眼里有困惑，“什么意思？”

“祁善为什么找你？你跟她说什么了？”

子歉的语气并不凌厉，可他话里的怀疑让青溪难以接受。她轻轻放下了手里的杯子，磕坏了是要从工资里扣钱的。

“我和她能有共同话题吗？”青溪眼睛一转，又说道，“除非是聊你的事。”

“她脸色不太对劲。如果你知道原因，希望你可以告诉我。”

“怕我给她吃了不好的东西？直说好了。”青溪笑了，又拿起了擦杯子的软布，“你还提醒了我，以前我怎么没想到呢？”

“不是这个意思……”

“我什么都没做！”青溪再抬起头来时，面色谦恭依旧，眼眶却微微发红，“她问我有没有热水，我给她倒了。她说‘谢谢’，我说‘不客气’，整个过程就是这样，一个字都没有落下。信不信由你！”

子歉没有再说话，心里有些黯然。这时祁善走了过来，周瓒陪在她身边。

“没事吧？”子歉单手扶在祁善手臂上，关切地问。

不等祁善开口，周瓒抢先一步说：“她有点感冒，我陪她下山买点药。”

“山上没有医药箱？”子歉想了想，“我去吧。”

“这晚上的山路可不好玩。我开过几次，路况比你熟。”周瓒看上去好心得很，安慰子歉道，“放心，你们没好上以前，她的脏活累活我干得还少？”

“你会说话吗？”祁善听不下去，她张了张嘴，眼见隆兄屁颠颠地跟了过来，嘴上嚷嚷着：“谁病了？”他不等有人回答，先把手里已经接通的电话塞给子歉，掩唇道，“我姐打来的，她要跟你说几句。”

子歉讶然。隆兄只有一个姐姐，也就是老秦的夫人，阿珑的妈。因为周启秀的关系，子歉见过她几面，但从未单独说过话。秦夫人内退前曾在一所重点高中任副校长，所以子歉在电话里尊称她为“隆老师”。她口气温和，一如普通的女性家长，先是为子歉在泳池救了阿珑一事表示感激，又客套地谈了几句日常，还说改日有时间要约出来见一面，亲自带阿珑道谢。子歉反复说这件事不值一提，请他们不用放在心上。对方却提到阿珑从那天受惊之后情绪一直不太好，她小舅舅不靠谱，阿珑信赖子歉，希望离家在外时子歉费心多照料她。

子歉怎能说“不”？心却一直往下沉。阿珑在桌旁托腮看着他，隔得那么远，子歉仿佛都能感受到她脸上胜利的窃喜。

从子歉接电话时应对的言语，祁善大致也能猜出对方的来意。周瓒又在催她，说再磨蹭山下的商店都关门了。她压制着心中的不安，轻轻拉了子歉的手再放开，说：“等我回来再说。”

车沿着谷阳山的小道往下开，白天引得行人屡屡下车拍照的山花美树都成了黑黝黝的暗影。没有路灯，许多路段一侧是山体，一侧是深渊。在开车这方面，周瓒自诩是半职业的好手，可这时也不敢大意，一路小心慢行。

“肚子疼？”他打破了车里的沉默，向歪在椅背上闭目养神的祁善问道。

“还好。”祁善的话说了等于没说。

“毛病真多，还好我不是女人。”周瓒摇头。十来岁的时候他开始发现祁善一个月总有几天无精打采的，骑车也不行，游泳又不去，吃东西还挑剔。有一次她裙子脏了被他发现，他大声取笑，祁善羞得眼泪都要流出来了。周瓒被他妈妈臭骂了一顿。冯嘉楠借机给他上了一堂简易的生理卫生课，大概意思是女孩子不容易，这种时候会感到身体很不适。有风度的男孩不但不应该随意拿这个说事，还要多多体谅照顾。周瓒那时刚进入叛逆期，他并不在乎什么是有风度，可他至少不再为此而嘲笑祁善。他还发现一个奇怪的规律，每次赶上那几天，他总是肚子不太舒服，为此他也常和祁善一同忌口，少食辛辣冷饮。

冯嘉楠去世后，周瓒和祁善的关系虽看似得以修复，往来渐密，笑闹如常。可他们都很清楚彼此之间有个禁区，他们极有默契地绝口不提，不可触碰本身就意味着未曾消散，回到两心无碍的旧时模样是再无可能。眼下，她选择了他陪同去做一件有些难堪的小事，周瓒是乐意的，这证明在祁善意识深处，他们的亲密胜过她和周子歉。

周瓒甚至不肯去掩饰这份得意，一边开车一边故意问祁善："这有什么不好意思跟周子歉说的？他都是你男朋友了。"

祁善也苦恼于自己为什么开不了那个口。大家都是成年人，稍一提点，子歉应该就能领悟，这是再正常不过的生理现象。然而她就是没办法当着子歉的面说这种事。她和自己生气，说话更有气无力，"哎呀，他毕竟是男人！"

这话让周瓒听了心里很不对味，好心情顿时被清仓，"你什么意思？难道我是太监？"

祁善烦他揪着小事斤斤计较，说："你不是太监，但我已经把你心理阉割了。"

车子似乎都感受到了周瓒心中的不平，忽然颠得祁善跳了跳。

"慢点开。没看到路边的标语——'山高、路窄、坡陡、弯急'！"她提醒道。

"意思是说我在你面前脱光了也没关系？"

"你脱吧，我有点冷。"

周瓒"哼"了一声，"就算周子歉'身心健全'，今晚上你们的好事也泡汤了。"

他说完有点幸灾乐祸，本来还感到闹心，打算让阿标和隆兄想法子拉着周子歉去打通宵扑克，现在省事了。

祁善脑子有数秒的延迟，反应过来之后又羞又气，宁愿扭头看着一片黑的窗外也不想对着他。

“对一个被你心理阉割的人没必要害羞。”周瓒又起劲了，腾出手扯了扯祁善的发梢，“来吧，跟我说说，我很好奇周子歉那样一本正经的人在你面前脱光是什么感觉？”

“周瓒，你有没有道德底线！”祁善忍无可忍道，“谁像你一样流氓，整天想着那些事！”

“这么说你还没见识过呢！”周瓒更乐了，继续大放厥词，“我觉得从男人的角度看，周子歉也没那么喜欢你，要不然他早下手了。男人真的心动，根本不会磨磨叽叽。”

“那是你吧，别把所有人想得和你一样！”

“我当然是，因为我很正常。”

“不要脸！”

“如果周子歉只对你‘要脸’，你要小心了。”周瓒躲开祁善砸过来的纸巾盒，笑着说，“谁让你身材没看头呢？”

祁善气得口不择言，“你带回房间的女孩身材好得很，我前脚去餐厅，你后脚就来了，可见你也坚持不了几分钟。”

周瓒倒是没有被她激怒，反而感到很有趣似的。他开过了最险的一个弯道，含笑道：“有些东西吧，你用过才有资格点评。”

“呸！”

忽然静下来车里连呼吸和胎噪声都让人无法忍受。祁善摇下一线车窗，山风尖叫着挤进他们中间。周瓒又把车窗弄了上去，说：“不怕吹得头疼？”她沉默，又想去放点音乐，广播也行。兴许周瓒也有此打算，在按钮处他碰到了她的手。祁善受伤般退缩。

抒情的音乐声流淌开来。他们错了，这并无任何改善。

第三十二章

要努力的都不是真心

WE

Chapter Thirty-two

直到车子开下了山，灯光和人气扑面而来，驱散了各怀鬼胎的紧绷感。这是一个连县城都算不上的小镇子，总共不过横竖两条中心街道。白天他们从镇子边经过，感觉街道冷清，平凡无奇，像灶台边懒洋洋的妇人，谁想到了夜里竟如换装般鲜活了起来。主街道夜市摆开长龙，叫卖廉价服装的小贩、煎炸烧烤的消夜摊、三三两两结伴而行的路人将原本就不宽敞的马路填满了，与头顶上随意交织的临时光源一样构成了一种凌乱而世俗的热闹。

周瓒把车停在一个歇业了的菜市场旁，与祁善步行穿过夜市的街道，打算在闹市区寻找一家日杂用品商店。祁善很少见识这种夜里的圩市，稍一张望落在了周瓒的身后，周瓒不时回头，走走停停地等着她。

途经一个小饭馆，大概是刚结束了一场本地人的婚宴，大量酒足饭饱的道贺者从饭店门口涌出来，有些剔着牙谈论今晚的饭菜，有些与门口送客的新郎新娘寒暄道别，一时堵得人寸步难行。祁善打算等这拨人稍稍稀释再穿行过去，驻足欣赏着新娘子身上大红的敬酒服和残妆都盖不住的喜气。周瓒却没这个闲心，耐着性子等了片刻，找个空当就强行挤了过去，还不忘回头拖着走神的祁善一块突围。

祁善被周瓒拽着胳膊艰难穿行，正好一个伴娘打扮的年轻姑娘风风火火地从饭店里跑出来，怀里捧着的似是新娘换下来的白色婚纱。婚纱体积蓬松，伴娘几乎抱不住，她从周瓒身边经过，白纱也蹭上了周瓒的身体，他随手一拂，身后的祁善遭了殃，轻薄的网纱面料被她的发卡挂住了。

那个黑色的细发卡是祁善用来固定被风吹乱的碎头发，尾端的尖利处穿过了婚纱上的小孔，伴娘起初未觉，继续往前走，祁善忙护住被拉扯的钩挂处。周围的人看热闹不嫌事大，笑着起哄，祁善手忙脚乱，在伴娘的帮忙下才抽出发卡，解救了婚纱和她的头发。

“不会钩坏了吧，等下还要还给影楼呢！”伴娘急着检查婚纱裙摆上的钩挂痕迹。祁善不停道歉，幸而婚纱被抚平后看不出明显的撕裂，她才松了口气。可恶的是身为始作俑者的周瓒站在人群外，不但没有上来帮忙，还跟着起哄的人一块咧着嘴笑。

祁善的闷气没生多久，周瓒发现前面十米开外就有他们苦苦寻觅的日杂小超市。他笑着把祁善拉进去，又被祁善赶到一旁，让他等着就好。

小超市里东西不多，没什么挑选的余地，祁善拿了想要的东西到结账处，才发现自己身上并没有带钱包。周瓒把钱递给老板，嬉皮笑脸地对祁善说：“算我送你的。”

祁善没搭理他的低劣玩笑，问超市老板借了厕所，从她的战利品中抽出一片，剩余的都让周瓒拿着。周瓒低头研究手里那两包东西的区别，一包有太阳，一包有月亮，他似乎悟到一点门道，正想着又从她身上学到了新知识，忽然听到有人窃笑。他抬头，两个小镇姑娘捂着嘴从超市门口经过，咬着耳朵议论。

周瓒这才发现不妥之处，他回头对老板说：“给我一个购物袋。”

“小的一毛，大的三毛。”

他们不刷银行卡，周瓒豪气干云地拍了一张五十的在桌子上，遭到老板无情的拒绝。

“找不开，给我零钱。”

“那你给我拿500个小的！”

老板终于感觉到了周瓒强大的怨气，决定不与他计较，施舍了一个小的购物袋，粉红色，很透明。

祁善还在厕所磨蹭。周瓒把拎着购物袋的手背在身后，门神般站在超市门口等着她。还没到九点钟，为招揽人气，超市门口的小音箱轰轰地放着音乐。周瓒从“你身上有她的香水味”，听到“在你的心上，自由地飞翔”，她还没出来。他心里焦虑，想象着一个女人做那件事时的流程，借此计算她耗时的合理性。其间有一个形容猥琐的中年人晃过来，试探着问他要不要“小姐”。周瓒面无表情地把购物袋里的东西亮出来，说：“今天不方便。”

中年人像撞见神经病一样离开了。祁善还不见踪影。周瓒急不可耐地想把刚才的糟心事一一对她吐露，她怎么还不来，还不来……可他不能走，也不会走，就这么等着她，等着她。

超市的厕所在他看得见的地方，出不了意外。只要祁善不掉进坑里就一定会出来。周瓒知道自己必然能等到她，她迟早会回到他的身边。当他随着“套马的汉子你威武雄壮”的节奏轻轻哼唱时，周瓒的等待已不再焦虑，他渐渐等出了心得，等出了满足。

“走吧。”祁善终于朝周瓒走来。解决了她的心头大事，她眉目和缓了不少，意外的是周瓒拎着两包卫生巾，心情看起来居然也不错。

“好了？”他轻声问。

“嗯。”祁善不自在地点头。

周瓒说：“那我们回去吧。”

前方夜市的人不知不觉间散去不少，有一辆小货车按着喇叭慢腾腾开过。周瓒在渐远的后视镜里看到了他和祁善，他们并肩，手里拎着装有日常用品的塑料袋走在陌生而喧哗的夜市，脚步不疾不徐，如同所有面目模糊的世俗伴侣。

小货车钻进了漆黑的巷子，周瓒寄望于身旁理发店的落地玻璃——这理发店的员工真他妈的懒，玻璃都积了灰也不肯擦一擦。可这不要紧，她现在还在身旁，扭头就能看见。不知道这夜市里能不能淘到她喜欢的东西。周瓒明白过来，为什么他看不上她恋物的小毛病，却又乐此不疲地替她搜刮。祁善不常笑，但她开心沉醉的样子很美。那样的痴迷眷恋也曾属于过他，只是隔得太久远，成了收藏品，被摆在记忆的陈列架内，只能怀念，不可触摸。

他今晚是不大对劲的，或者说这段时间周瓒都在试图理出一个头绪。他犯了聪明人最大的毛病，关注点都在事件上，在乎的是解决问题的方式而非感受。他总想着要把祁善留在身边，见招拆招，这样强烈的情绪从何而来，却从未愿意去探究。

祁善最后一次为他而流的眼泪犹在眼前。她要的是爱，周瓒心知肚明，然而爱是什么，他是茫然的，也始终不肯相信。可就连他爸爸这样的负心人也爱过，他妈妈那么痛苦也未曾彻底释怀，他连他们都不如？

祁善被周瓒看得寒毛直竖，没话找话地问：“你明天早上干什么去？”

“阿标说山上有个滑翔翼俱乐部，我去看看。”周瓒说。

“太危险。”祁善嘀咕了一声。

“你不想我去？”

她显然在他这样的问句下愣了愣，自嘲道：“我不想你去你就不去？”

周瓒不会听她的。他拧得很，和在乎他的人拧，也和自己拧。

周瓒的心思总被骄傲所困。从前他反感妈妈的桎梏，她越控制，他越叛逆。后来他对抗的是祁善。她怪他花心，他就滥情给她看；她不喜欢他不务正业，他偏游戏人间；她想安稳，他定不下来；她担心危险的事他总要试一试。好像这样就证明他们天生不合适在一起，而不是她不要他了。

到现在周瓒依然不确定祁善要的爱到底是什么。然而这已不重要，在小饭馆门口，他看见那层廉价的白纱挂在她头上，他发现这辈子他都不可能接受她身披白纱站在另一个男人身边。“爱天生就是束缚”，妈妈的这句话周瓒始终忘不了。他慢慢有了自己的一套理解：比起失去，他更愿意受她所制。

“爱去不去。不过我家的阁楼可放不下什么滑翔翼了。”祁善想想又说。

他当初迷恋洞潜的时候祁善也是反对的，在网上找了好几篇关于这方面危险性的文章给他看。对面摊贩小推车上临时挂着的白炽灯泡亮得不合常理，那光的碎片也有些落在了周瓒的眼里，他说：“我不会死在外头的。”

祁善气不过，可又不想咒他，恨恨道：“你哪一样爱好不是三分钟热度，不要把麻烦留给我就好。”

周瓒笑得无赖，“‘把烂摊子留给你’这个爱好我不是坚持下来了吗？”

祁善和他说不通，沉着脸走在前面。周瓒微笑。他整个人都是动荡不安的，她是唯一恒定的存在。

祁善走着走着，感觉有人在身后拖住了她。

“祁善，我不想你和周子歉在一起。”周瓒站在原地没头没脑地说。

祁善的意外并没有周瓒想象中那么深，她回头静静看他。

“你想结婚，我娶你！”

周瓒认为这是个好主意。如果人非要结婚不可，他和祁善在一起又有什么不好呢?

买小馄饨的摊贩把半盆子脏水泼在路面上，周瓒牵着祁善避让，才没让裤腿遭了殃。祁善站定，低头笑了。

“别笑了啊，说话！”周瓒不满意自己牺牲仅仅换来她这样的反应。

祁善说："我不知道你是在恭维我，还是在羞辱我。"

"当然是觉得你好。求婚不是对一个女人最大的赞美？"

"那我谢谢你。"

周瓒用提着两包卫生巾的手拦住若无其事往前走的祁善，一字一顿地说："我没开玩笑！"

祁善抚了抚有些发凉的胳膊，对周瓒说："我也很认真地答复你：我拒绝。"

"你以为找到了如意郎君？我敢打赌，周子歉追求你大半是讨我爸欢心，剩下一部分是在和我较劲。"

祁善听他振振有词地说完，木然别开脸去。她说："和子歉在一起这件事我考虑了很久，我不想膈应你。我是真心觉得和子歉很合拍……"

"男女有心勾搭，屁大的事都能说成默契。你们都呼吸，都要吃喝拉撒，这算不算缘分？可笑。要这么说起来，以我俩的熟悉程度不成了几世夫妻？"

"周瓒，要我说多少遍，我们以前是很好，可是朋友有朋友的距离，我们要学着为身边的人考虑。"

"狗屁！别拿你那套道理来糊弄我。要努力的都不是真心。"周瓒完全听不进祁善的话，他说，"何况周子歉还和那个叫魏青溪的服务员有一腿，那才是他喜欢的类型。要是他为了你放弃魏青溪，将来迟早也会为一个更有用的女人放弃你！"

祁善说："没发生过的事我们都不能下定论。假如有朝一日子歉像你说的那样放弃我，我至少还知道是为了什么。"

回去的路上，周瓒从车尾箱翻出一件户外防风服罩在祁善头上，说："上次徒步时留在车上的，没洗过，你将就着披一下。"说完又递给她一瓶水，问她：“常温的没有问题吧？”

祁善接过水，又拽了拽衣服，依然难以适应他态度的转变。从前周瓒对她也不是不好，可他表达关心的方式总带着刺，明知道他是善意也让人不舒服。不知道他今晚抽什么风。他总是想到一出是一出，转头就抛在脑后。

回到山庄，餐厅里的人竟还没有散，反而更加热闹地聚拢在某一张桌旁。隆兄一看到周瓒进来，亢奋地朝他招手，“总算回来了！周瓒，你快看看这是谁。”

众人聚焦的中心有人徐徐站了起来，挡在她身前的闲杂人等也识趣地往两旁让了让。祁善一眼就认出了来的是谁。依稀还能看出当年的轮廓，偏又觉得哪里都不太一样了。她穿得很随意，脸上也只化了淡妆，可站在人群中的样子仿佛她生来就该被众星捧月。她不再是被同学欺负排斥的丑小鸭朱燕婷，而是平时只能隔着电视欣赏的镜中花。

周瓒也笑着走上前，做了个惊讶的表情，“原来是大明星驾到。”

朱燕婷淡笑道：“等你老半天了。”

“怎么样，晏亭小姐今后是我们山庄的代言人了。”隆兄满面红光。他是同时认识朱燕婷和周瓒的。周瓒出国后，朱燕婷在他的皇家公馆做了一年多的驻唱，她嗓音一般，但长得漂亮，台风尤佳，给隆兄的酒吧增添了不少人气。后来朱燕婷大学毕业北上闯荡，近两年渐渐混出了名堂，隆兄也感到面上有光，新开的夜场里还特意挂了朱燕婷当年唱歌时的巨幅照片。这次他们山庄开业在即，想在全国的旅游市场打开知名度，刚协办了一场模特大赛，颇具广告效应，有人建议隆兄依照这个路子走下去，再找个有名气的代言人。朱燕婷无疑是个好人选，她是本地姑娘，和隆兄是旧识，最近风头日盛。隆兄联系上她的经纪人，起初还抱着试一试的想法，没想到朱燕婷很爽快地应下了这件事。

“我早想说这件事来着，怕晏亭赶不上今晚的飞机白高兴一场。现在正好给你们一个惊喜！”隆兄这话是冲着周瓒说的，朱燕婷大晚上地陪他们“亲切”聊天，除了看在钱的面子上，多半还有某人的原因。隆兄尚且不会自恋到以为是因为自己。他把距离朱燕婷最近的那个位置让了出来，“你们好几年没见了吧？来来来，正好叙叙旧情。”

一个娘里娘气的中年男人开玩笑道：“隆老板可别给我们晏亭制造绯闻。”

朱燕婷却没把这话放心上，她好像这才看到了人群外的祁善，微笑着打招呼：“祁善，你都没什么变化。”

“你好啊，燕婷。你更漂亮了。”祁善由衷地说。

“这位也是我的高中同学，以前班上的学习委员。”朱燕婷向身边的经纪人介绍祁善，又说，“她现在可是女博士，大学图书管理员，是有学问的人。”

经纪人不走心地附和。祁善笑笑，垂眼不语。周瓒不客气地坐到隆兄腾出来的位子上，含笑问朱燕婷：“你怎么不介绍我呀？”

朱燕婷巧笑倩兮，“非逼我提伤心事。看你和祁善的样子，你们还是在一块了？恭喜恭喜！”

她早就和隆兄有联络，又已经来了好一会，怎么会不知道周瓒和祁善的事？不过明知故问罢了。周瓒挑眉，似逗弄又似撩拨，“我说没有，你是失望，还是高兴啊！”

“早就不关我的事了。”朱燕婷也坐了下来。阿珑兴高采烈地上前求合照，朱燕婷大方地同意了，挨近阿珑在镜头前露出个无可挑剔的笑容。

祁善看到子歉已走到她身边，她伸出手，他及时握住。

“走，不舒服先回房休息。”

子歉陪在祁善身边，走出餐厅，他问：“你不喜欢见到那个女艺人？”

“没有啊。只是有点意外。”祁善回答道。平心而论，祁善对朱燕婷并无反感，甚至觉得她能打拼至今日的地位很不容易。祁善抵触的只是与朱燕婷有关的那段记忆，这让她想起了当初沉溺于独角戏里可笑的自己。朱燕婷的出现是好事，祁善得以从短暂的困惑中抽离。刚才还信誓旦旦说要娶她的人现在正和旧情人打得火热，她知道他很快会忘记他说过的话，只是没想到快到这种地步。她怎么可能相信他呢，无论他的话有几分假。已经远去的记忆像一本灰暗而晦涩的小说，祁善再也不想重新翻阅。

他们穿过走廊，脚下是崭新而厚重的暗纹地毯。人行走在上面并未能完全遁去声响，那悄而沉的动静反而如软布包裹的锤在心头某处撞击。祁善的房间到了，她摆弄着房卡，对子歉检讨道：“子歉，其实我今晚的不舒服是……女人的小状况。我开始没好意思跟你提。对不起。”

她许久没有等到子歉的反应，这才仰着头看他，发现子歉脸上的笑别有深意。他说：“你为这个说‘对不起’，不知道的还以为我们之前存了什么心思。”

祁善哑然。周瓒的混账话又在她耳边响起，她混乱地解释：“我不是说你有那个意思，我也没有，我的意思是……”

子歉低沉的声音已在她耳边，他靠近拥抱了她，把她环在自己和门之间，“你有没有我不知道，我本来是有的。”

即使子歉对祁善一直很温和，给她安全感，可在祁善的感知里，他像某种金属，稳定、坚固、硬朗、刚强，甚至有几分禁欲。这些形容词都与柔软狎昵无关。周瓒说对了，祁善从未想过脱光了的子歉是什么样子的，还来不及想。所以当他说出这样的话，祁善心跳之余，还感到了意外。

她要的不是一块金属的盾牌，而是一个托付终身的男人。祁善让自己的身体放松，安心与子歉依偎，他用下巴磨蹭着她的头发，她感知到他的心跳和身上散发的热气。这存在感真切如斯，驱走了祁善的惶惑和惘然。她不能再让周瓒轻而易举地从中挑拨，所以有些东西她必须得到求证。

“子歉，你能告诉我魏青溪是谁吗？”

第三十三章

从阿谦到子歉

WE

Chapter Thirty-three

第二天早上，子歉陪同祁善和陈洁洁去游览碑林，说好要陪伴妻子的周子翼起不来，他和隆兄他们打了一整晚的扑克。据说周瓒昨晚并没有和他们在一起，一大早也没看到他的踪影。昨晚他是和朱燕婷“通宵叙旧”，还是享受嫩模新欢的软香温玉，祁善不想知道。总之他绝不是让自己寂寞的人。

阿珑明知子歉身边有了祁善，还是如影随形地跟着他。以前周瓒有那么多女朋友她都不在意，子歉只有祁善，还是刚开始不久的恋情，这在阿珑看来更不在话下。她的心思单纯而直接，看上的男人就要想方设法拿下，其余的浪蕊浮花都是虚无。

谷阳山的碑林其实有些言过其实，只不过是把历代文人骚客的题词和游记以十余座石碑镂刻，汇集在山谷中某处，成了招揽游客的景点。阿珑舍弃了泡温泉的打算，非要和子歉他们爬了半小时的山来到这里，看到几块破石头，不禁深感无趣，缠着子歉去给她摘杜鹃花。祁善来之前翻过谷阳山的史志，知道这些石碑虽与西安碑林相去甚远，但其中也不乏明代几位名家的墨宝，还有些残碑则记录了关于这座山的远古神怪逸事。陈洁洁对于书法很感兴趣，两人边走边看，聊得相当投契。等到阿珑捧着一大把花回来，嚷嚷着肚子饿了，他们才回到山庄，吃过午饭便准备下山。

按计划大家怎么上山就怎么下去。可阿珑以隆兄抽烟为由拒绝再坐他的车，隆兄也表示自己还要留在山庄处理一些杂事，可能要耽搁到明天。他顺了外甥女的意思，拜托子歉送一送阿珑。子歉很怀疑如果他拒绝，阿珑会不会又惊动她父母给他打电话。他不在乎老秦夫妇怎么看，却不愿意为此给周启秀惹上麻烦。

子歉背过身询问祁善是否介意阿珑同行，他打算先把不速之客送回家，再和祁善一起回市区吃晚饭。说话间阿珑已经自发坐到后排，笑容灿烂地伏在车窗上说："祁善姐，行行好。我不胖，多我一个也不会太挤！"

祁善无奈，正待点头，不知从哪里冒出来的周瓒在他车旁大声叫她名字。祁善假装听不到，拉开子歉的车门，周瓒三步并作两步走过来，不悦地说："你过来看看我的车！"

"不看。"祁善对付周瓒各种伎俩的方式是"不看不听不感兴趣"。

"我的座椅被你弄脏了，你不认账？"周瓒趁祁善有点蒙，揪着她去到他车旁，拉开门让她看。祁善凑得很近才发现浅米色真皮座椅的纹理里有隐隐红色痕迹。她讷讷道："不会吧，我昨晚明明很小心。"

"我擦了半小时也没彻底弄干净。"见祁善脸红了，周瓒心知火候已差不多，扶着车门对子歉喊了一声，"你们先走，祁善要陪我去洗车！"

"小点声，你想整座山的人都听见？"祁善急得跺脚，她低头去翻自己的包，"洗车多少钱，算在我头上。"

"那不行！我一个大男人去弄这个太晦气，不知道的还以为我有痔疮。"

祁善明白了，他根本没打算讲道理。她甚至发现阿珑朝周瓒眨了眨眼睛，周瓒脸上是心照不宣的笑。这两个冤家什么时候又结成了同盟？说话间，阿标也坐进了子歉的车，说："兄弟，也送我一程。我的车被隆兄用去送那批小妞了。在市区放我下来就行，谢啦！"

阿标给同在后排坐着的阿珑递了名片，热情地介绍自己。阿珑皱着鼻子挪到副驾驶。周瓒"好心"地过来，弯腰对一言不发的子歉说："没问题吧，子歉？”

子歉用那双与他相似的眼睛看着他，随后发动车子，漠然道：“你高兴就好。”

周瓒含笑朝子歉远去的车挥手。

“你明知他会让着你，还故意那么做，不觉得羞耻？”祁善的声音和脸色都是冷冷的。

“上车。”周瓒心情不错地换了副墨镜，对身边的祁善说，“他在乎的话就不该让步。受不了？你跟了他，这样的罪有得你受！连秦珑这种小屁孩都会拿捏他的弱点。他最在乎的人根本不是你，也不是他自己，而是我爸——我成全他。”

祁善无法反驳。她与子歉相识也不是一日两日，所以知道阿秀叔叔对于子歉来说意味着什么。她怅然道：“没你那么自私寡情倒成了弱点。”

“换作我，秦珑她根本上不了我的车，她不敢。”周瓒刻薄地说，“连拒绝都不会的男人说到底不是懦弱是什么？周子歉希望所有的人都认可他，觉得他好，传到我爸那里，说不定会表扬他两句。这是缺爱的表现。”

“就你不缺爱，大家都挤破头来爱你！”祁善不无讽刺，系好安全带，说，“走吧，去洗车。”

“我只要我在意的人爱我就够了，不需要让所有人满意。”周瓒和颜悦色地找出一副墨镜，想要替祁善戴上，“这个点太阳大，当心晒成青光眼。”

“青光眼是眼压增高造成的。”祁善拒绝那副来路不明的女款墨镜，岔开话题问，“你不用送前女友？”

“谁？哦……你说朱燕婷啊！”

“你在这山上到底有几个前女友？”

“我得数数！这回来的人里跟我有一腿的可不少。”

“隆兄也算吗？”

周瓒开怀大笑，又回到祁善的问题上，说：“朱燕婷有保姆车，轮不到我送。她现在不大不小也是个明星了，怎么看得上我？”

他难得谦虚一次，话里却并无半点自惭形秽的意思。祁善说：“后悔了？”

“我不为发生过的事后悔。最多想通了，自然会有办法。”周瓒逗祁善，“都是老同学，也不多聊几句。我看你才是心里不是滋味。”

祁善也老实地说：“丑小鸭变成了白天鹅，当年一起生活在湖边的灰鹅不管有没有嘲笑过她，都好像成了反面的陪衬。童话是为主角而写的。”

“你哪儿是灰的？让我看看。”周瓒发现祁善并不觉得好笑，懒洋洋地收了手，打个哈欠。

“好好开车。昨晚又没干好事吧？知道西门庆是怎么死的？”

“没办法，太多人想跟我睡了。我怕她们打起来，关着门在房里打了一晚上飞机。你没听见动静？”周瓒的羞耻感淡薄得很，眼看祁善又要翻白眼了，他笑嘻嘻地哼了两句游戏的配乐，说，“放心，在善夫子的监督下我的道德底线又捡起来了。真的是打飞机，下回跟你比赛。”

祁善没有着他的道，板着脸说了句：“把低俗当有趣！”

山庄主建筑被他们抛在身后，驶出大门时，周瓒看到有几个服务员在焚烧垃圾。他不失时机地指着窗外问祁善：“你觉得那个服务员长得怎么样？”

祁善撇头看了一眼，反问：“你想说魏青溪的事？”

昨晚子歉在祁善房间逗留到她睡前方离开。关于他和青溪的往事，以及后来怎么分开，又是怎么偶然重遇的，他都对祁善一一说明了。

“小时候的事怎么能算数呢？”祁善对周瓒说。

相似的话青溪也用来安慰过自己。她站在冒着浓烟的垃圾堆前流泪，没有人会知道她在为一个决绝的背影而哭泣。青溪贴身的衣兜里有两样东西，从前是子歉送给她的叶脉书签，她特意拿到镇上的文印店做了塑封，这样就可以随身携带。现在多了一张银行卡，大小和叶脉书签差不多，也是他给的。

青溪从没有将他身边的女人取而代之的奢望。那天晚上，在她凌乱简陋的出租屋，子歉气喘吁吁地推开同样是赤裸着身体的她。他在青溪失望的眼泪里逐渐清醒，为自己干出的糊涂事而后怕。他说他的出身已经够不清白了，不能再找一个同样来路不明的女孩让二叔失望。二叔喜欢的儿媳妇是祁善这样：家世相当，知书达理，温和敦厚。更重要的是祁善深得二叔喜爱。子歉也不信王瞎子的胡诌，说什么祁善一定会是周家的儿媳妇。可他不信，别人信。假如他娶了祁善，他会是周家更名正言顺的儿子吧，二叔但凡把对祁善的亲近分一点给他，他就很知足。

重遇青溪，子歉心中也有涟漪。他可以不负责任地占有这个曾盘踞于他大部分快乐记忆里的女孩，然而正因为她是青溪，他不想再做伤害她的事。二叔当年的错让世上有了他，他不能容忍这样的错再一次延续。给不了青溪将来和承诺，他就要离她远一点。

离开青溪的出租屋前，子歉对青溪说，让她不要再接他的电话了，哪怕他喝醉后有可能克制不住地再与她联系，也别再给他机会。一个喝醉后才会想起她的男人不值得留恋。

山庄里再次正面遭遇，对子歉和青溪都是一场考验。子歉开始怀疑这件事有人在背后安排，三番两次遇上青溪轮值，他不相信这是巧合。子歉收敛心神，他的冰冷和戒备在青溪心中是万蚁蚀心。青溪远远地看着他对有资格成为他妻子的那个女人温情呵护，这也罢了，她不配，她认。可青溪咬碎了牙也吞不下他毫无根据的猜疑。只因为他在意那个女人吗？对方稍有风吹草动她就成了替罪羊。

青溪的下面有两个妹妹一个弟弟，父母的关注、有限的家庭资源，每一样都需要去争取。她不是不知道如何最大限度地守护自己的利益。既然在他心里，她如此不堪，那她索性把最丑陋的那一面剥出来给他看。

准备离开山庄之前，子歉的手机收到了两张照片，那是来自同一角度的两张截图：简易的铁架子床上，两具年轻的躯体交叠在一起。图片画质粗糙，光线昏暗，连个正脸都没拍到，当作任何证据都实在勉强。子歉完全可以不认账的，可他还是去找了青溪。青溪那时在工作间整理碗筷，子歉蹲在她身边，与她视线平行。他不做声，把一张银行卡放在她的工作围兜上。

“这些钱我本来也是给你准备的，本想从山里回去就找个机会给你。别做这样的事了，趁年轻去学点东西，换份好工作。回老家也行，在镇上买套房子，做点小生意，找个好男人结婚。”他用手指蹭掉了她鼻梁上的一点灰，说：“我想看到你过得好。”

青溪一直没有停下忙碌的手，把洗碗工送来的餐具逐一堆叠整齐，白瓷的碗碟轻轻磕碰发出的声响如同战栗。他起身，他离去，她都没有看他，直到听见工作间的门被人轻轻带上。她忍住了号啕大哭的欲望，想叫住他，说：“阿谦，我从来没有想过伤害你，连看到你皱眉也舍不得。”摄像头是青溪为了防止舍友手脚不干净在夜市上淘的，五十块。她发现拍到了不该拍的东西，截了两张最清晰的存在手机里，也只是为了证明这些年来，他也有过离她那么近的时刻。

可是她喊不出口。因为她的阿谦在头也不回地离开小村庄的那天，背影已被山风吹散。他成了周子歉，一个陌生的姓氏，一个陌生的人，怀着陌生的歉疚。

青溪留下了那张银行卡。她缺钱。她父亲死后，她再也不想回去，可每个月大部分工资都寄给了家里人，她妈妈腰不好，家里要建房，弟弟还要读书。

青溪来到这个全然陌生的城市本是为了来找她的阿谦。从前她家里开一个小小的酿酒作坊，他常常替家里人来打酒。青溪每次会多给他两勺。熟了之后，她喜欢搬一张板凳在村里的地坪上剥玉米，一边听老头子用方言说三国，一边看他拿着弹弓和别的男孩打闹嬉戏。他跑远了，她也提着小板凳跟上去。他就给她取了个绰号叫“小板凳”。

后来他们长大了，在她家无人的酒窖里，青溪叫他仰着头，她手持竹子做的酒筒往他嘴里倒，嘴里“咯咯”笑个不停。他酒量好得很，酒窖里长大的青溪都比不上他，当他喝得面红耳赤，看她的眼神也会变得迷离。青溪好几次趁他打盹，偷偷亲他的嘴，还有长而密的睫毛。也许他知道，也许不知道。她快十六岁了，山里的女孩早熟，她等着，开春的篝火夜她要亲口问问他到底以后要不要娶她。可是春天还没到，他就离开了家。两年后，青溪听说他随城市里的家人回来祭祖，她在乡上的中学上课，翻了一座山回来找他，只看到汽车远去扬起的烟尘。

高中一毕业，青溪揣着两百二十块钱从家里偷跑出来，按照从他大伯母那里套来的地址四处问人，总算找到了他的新家。他连通信方式都没给她留，可青溪不信他会彻底忘记了从前的事。保姆把青溪拦在院门外，任她说破了嘴皮也没给她电话号码，也没有让她进屋。保姆说，一切等到家里的主人回来再说。

青溪等到了下班回来的周启秀。看在是同乡的分上，周启秀让保姆给青溪煮了一碗面，还给了她一千块钱。可他听说小姑娘是来找子歉的，只说子歉大四了，在外地的分公司实习，一时半会回不来，绝口不提他的联系方式。

青溪当时就有些明白自己是不受欢迎的。她失魂落魄地离开他画一样的新家，捏着多出来的一千块，满心迷茫，不知该往哪去。在街口，有人从后面追了出来。他长得和阿谦有几分相像，也许比阿谦更好看，笑起来眼里像有花儿盛开。他给了青溪一张纸条，上面写着周子歉的联系方式，还有他自己的。他说如果青溪有需要，他说不定能帮上忙。

最后青溪也没有给子歉打电话，那时她脆弱的自尊心反复向她提醒，如果他有心找她，根本不会这么多年杳无音信。青溪起初找了份发廊的工作，日日在城中村的小屋子里替人洗头。有一天她遇到了动手动脚的男顾客，老板却问她愿不愿意给客人做“保健”，每次给她五十块钱。她从工作了半年的小发廊里跑了出来，发现工资也忘了要。入夜，她在街口的小摊要了一碗牛肉面，花了六块钱的面里只有三片薄薄的牛肉。为了这个，青溪和面摊的老板娘大吵一架。她赢得了胜利，老板娘骂骂咧咧地给她加了两片肉。青溪吃着吃着，尝到了泪水的咸味。她才二十岁不到，这城市每一个繁华的街口她都无心细看，同龄的女孩子正在缠着男朋友买咖啡，为看哪一场电影而苦恼，她却像一条流浪狗一样为了两片肉差点和别人打了起来。

青溪按照那个数字古怪的号码打通了周瓒的电话，那时他已回了加拿大。周瓒给了青溪两个选择，去他朋友的餐厅打工，或者去 KTV 里做小妹。青溪问哪一个工资更高，后来她选了后者，在周瓒的联系下去了隆兄的KTV，一待就是四年多。这四年里，她从什么都不懂的乡下姑娘变成了伶俐的资深员工，依旧没有多少钱傍身，但她吃得起牛肉面，也不再在街口茫然失措。

周瓒回国后来找隆兄，还见过青溪几次，对她始终友善。青溪一度认为周瓒是从天而降的大好人，身上带着光环。青溪曾想，她若能傍上周瓒也不错。周瓒虽是风流二世祖，但起码少年英俊，靠着他的家底也不会活得太差。可惜他滑头得很，好几次她以为近在咫尺，可他偏不上钩。青溪渐渐死了那条心，他那样的人，即使得手了，她也只有被玩弄于股掌的份。她的第一次稀里糊涂地给了某个烂醉的顾客，对方事后给了她四百块。她不卖身，但钱不咬人，她用那笔钱买了一盒漂亮的眼影，还独自去吃了这辈子最奢侈的一顿饭，从此也不抗拒给自己一点欢愉。只是周瓒当初为什么对她那么好心，这成了青溪心中未解的谜，她越来越好奇。终于，在子歉交上新女朋友之际，青溪派上了用场，周瓒安排了她和子歉的偶然重逢。

养兵千日用兵一时，青溪想还了周瓒这个情，何况心里存着对子歉几分怨怼，她没有让周瓒失望。子歉从重遇她的那一天起，震惊之后再也没能释怀。然而青溪忘了，她毕竟是爱着子歉的，她一天天靠近他，初衷和那一点点怨怼都已不再重要。周瓒似乎有了新的打算，也不再过问青溪的近况。青溪怀揣着窃喜和从未灭尽的心火等待着子歉，她陪着他，想看到从前那样开怀而爽朗的笑重新出现在他脸上。可他也用一笔钱来打发了她，还说，想看着她过得好。

"哪个蠢货让你们在这里烧垃圾？"隆兄捂着鼻子气急败坏地赶来，身后跟着惊慌失措的山庄经理。其余几人纷纷住手，垂着头等大老板发飙。只有青溪还神游一般把落叶往火堆里扫。

“她是谁？是聋子吗？哪里来的废物，你们想呛死我？”在自己的地盘上，隆兄还不信有人敢跟他对着干，不等经理出手，自己抢先一步夺下了青溪手里的扫帚。

青溪回头，隆兄竟被她脸上纵横交错的泪痕唬得一愣。

第三十四章

这一刻的意义

WE

Chapter Thirty-four

隆兄下山后把周瓒叫出来喝酒——他喝的是酒，周瓒杯里装的永远是刚泡出来的各种热茶。隆兄认为周瓒这样的人不喝酒简直是人生一大憾事，他见过“一杯倒”，却没听说过大男人还能“一口晕”。但对于周瓒来说，喝不了就是喝不了，做不到的事他不硬扛，一如他不情愿的事鲜少虚与委蛇。

“我怎么觉得你胖了？”周瓒一坐下来就怀疑地看了隆兄一眼，随即才发现所谓的“发胖”其实是他两颊发肿，细看还有手指的痕迹。

隆兄虽然喝醉后常做让人想揍他的鲁莽事，但他好歹算个有头有脸的人物，别人大多知道他是谁的小舅子，不看僧面看佛面，真正敢打他脸的人不多。周瓒故意“鉴赏”了一下他脸上的巴掌印，啧啧称奇：“谁打的，还挺对称。”

隆兄大手搓揉着痛处，非但没有怒气，反而还有几分回味。他神秘地告诉周瓒：“哥最近睡了一个特别带劲的妞。一边浪，一边人嘴巴子往我脸上招呼，那手劲大得我差点扛不住。”

“不用跟我说细节，谢谢。”周瓒阻止隆兄往下描述，想想又问，“你最近不是忙着明顶山庄的事，哪来的闲工夫四处勾搭？”

隆兄不肯说，笑着勾了周瓒的肩膀，“这你就别问了。”

巴掌印新鲜得很，隆兄这家伙前两天都在山上。周瓒心中很快有了模糊的答案，放下茶杯愕然道：“别告诉我是魏青溪！”

隆兄“嘿嘿”的笑已说明了一切。他怕周瓒上火，急着撇清：“我可没逼她，绝对是你情我愿的事。我保证不会把你的事弄砸了还不行？你别说，她在我手下做了这么多年，我都没正眼看过这小妞，想不到窝边草也有不错的货色。”

事已至此，周瓒也不能再说什么，他并没有指望过魏青溪能彻底绊住周子歉。刚撞破祁善和周子歉的事，他里子面子都受不了，不由分说先拎出魏青溪来搅搅局，好让周子歉心神不定。以子歉的为人，周瓒不曾想过他会在魏青溪面前把持不住，魏青溪也没有将出租屋里的那一段告诉周瓒。现在周瓒心中大主意已经拿定，这些事就变得无关紧要。他对隆兄说：“你别太过头了，她也不容易。”

“哟哟，你最近改走小清新路线。祁善已经跟了周子歉，你下一步有什么打算呀？”隆兄不忘“关心”一下周瓒的思想动态，“朱燕婷还没走，你撩撩她，没准有戏。”

周瓒伸了个懒腰，微笑着对隆兄说：“我自然有我的打算。”

“说给哥听听。”隆兄见周瓒眼里一扫连日来的沉郁，颇有些云开见日的意味，不由得也好奇起来。他的打探是出于惯性，然而以周瓒的做派，不想透露的事，问一千遍也不会有答案，即使说出口也未必是真心话。隆兄并没有存着能从他身上挖出“好料”的心理准备，所以当周瓒不假思索地抛出那句“我要结婚了”的时候，隆兄笑得比周瓒还欢，这无疑是在逗他玩。可笑着笑着，隆兄觉得不对劲了，周瓒脸上也带笑，那笑里全然不见平日的戏谑，倒像是喜滋滋把好事拿出来和身边人分享，因这过分的坦荡，荒唐过头反而不像假话。

隆兄新喝进去的酒在口腔里停留了好一会，才记起吞咽动作，呆呆问：“跟谁？”

“废话。”

按周瓒的语气，仿佛隆兄不该问这么浅显的问题。可隆兄还是一头雾水，祁善和周子歉正处在热恋期，朱燕婷那边也不太可能说结婚就结婚，总不能又换了阿珑吧？他心急地又问了一次：“说啊，到底是跟谁？”

周瓒深情款款地看着隆兄：“当然是跟你。”

祁善做了一整天的新书入藏复核，等到下班，她寻思着待会去商场该给子歉买点什么才好。两人在一起有段时间了，祁善还没有送过子歉礼物。

一走出图书馆大楼，祁善很难不注意到花圃旁临时停着的那辆骚包至极的车，眼皮没来由一跳。她心怀侥幸地挪过去，车里的人正聚精会神地在手机上打飞机，这成了他最近的心头好。

周瓒注意到俯身张望的祁善，欣然下车，“今天下班很准时。”

“这车从哪来的？”祁善吃不消。周瓒自诩是汽车方面的行家，看不上寻常的样子货，这并不是他一贯对车的品位。

周瓒说：“阿标新买的，让我给他磨合磨合发动机。等会你去哪里？”

“不是说好不到我上班的地方来的！”祁善苦恼。周瓒行事招摇，无风还起三尺浪，以前上大学的时候祁善就不喜欢他到学校来找她，凭白惹人多想。今天倒好，他还弄了一辆比他更骚的车。她拒绝告诉他行踪，板着脸说：“我待会有事。”

周瓒笑得更欢了，没等他开口，祁善身后传来了展菲惊喜的声音：“我以为你在学校门口等我。”

“她说有一家私房日料做得特别好，正好我也很感兴趣。”

祁善的脸色一阵红一阵白，周瓒的解释更让她羞臊莫名，偏还要打碎牙往肚子里吞。他可没说过今天是来找她的。难怪展菲打扮得特别青春靓丽，祁善想，自己也是糊涂，前两天就该看出端倪了，展菲不断旁敲侧击地问她关于周瓒喜好的问题，他喜欢吃什么，什么时间段有空，更中意女孩子哪一种类型的打扮。一来周瓒是展菲最近常挂在嘴边的话题，二则祁善没想过周瓒会答应展菲的邀约——那天他从山上把她送到家门口，临下车，他还重复叮嘱了祁善，说什么在他改变主意以前，祁善想要结婚都可以来找他。他总是这样正儿八经地胡闹，祁善也分不清他哪句是真，哪句是假。一时大意，又被他戏耍了一回。

“祁善姐，你也一起去吧。”展菲挽着祁善的胳膊说道。

“不了，我晚上还有事。”这种没眼力见的事祁善不会做第二次。展菲若有心邀她同行，也不会一整天都没提这回事。

“我跟他说几句话可以吗？”祁善征询过展菲，走到一旁，周瓒很配合地跟了过去。

“不好意思，我刚才自作多情了。”她定了定神，面色恢复如常，嘴里却是责问的语气，“你答应过不对我同事下手的，怎么能言而无信？”

“我只是对那家日料感兴趣，哪有你说得那么严重？”周瓒总有他的道理，笑道，“要计较起来，你也说过不找周家的男人。你能反悔，我就不能？”

祁善说不过他，只得低声提醒：“我不妨碍你们，希望你也记得，我是打算在这个工作岗位上干到退休的，别给我在办公室里找不自在。”

她说完，对展菲笑了笑，“我先走了，祝你们用餐愉快。”

“你真的不去？”周瓒又问她。

展菲察言观色，也热情地挽留祁善，说：“那家餐厅真的很棒，提前三天也未必订得了位子。在它大厅有一个小型水族馆，除了很多热带鱼，据说还有海豚呢。我最喜欢海豚了，聪明，可爱，还善于和人类交流，真想摸摸它。”

展菲毕竟还有几分孩子气，一说起来就滔滔不绝。祁善耐心地听着，周瓒显出很感兴趣的样子，笑吟吟地说起了他在澳大利亚某海岛喂海豚的经历，勾得展菲更为神往。

自从展菲被周瓒所迷，祁善不止一次暗示过她，周瓒并非靠谱的选择，可展菲听不进去，说得多了，反显得祁善存了私心。祁善怕以后会看到展菲的眼泪，她等周瓒说完，补充了一句：“有趣的是，科学家发现海豚是天生的色情狂，它兴致来了还会强行与海龟交配。”

子歉今晚又要加班，祁善在商场逛了一会，给他挑了个小礼物，发觉自己有点感冒的迹象，早早回了家。沈晓星给她煲了姜糖水，她正在房间里挑选合适的彩纸来包装给子歉的礼物，听到爸爸在楼下喊她。

“阿瓒来了。”祁定用手指着门外，眼睛未曾离开电视。

祁善走出去，周瓒靠在车边，手里拎着几个打包盒。他一见祁善，皱眉指着她脸上戴着的医用口罩问：“怎么回事？”

“感冒了，老打喷嚏。”祁善说。

“这种天气都能感冒，在外面干什么好事了？”周瓒话有所指，可祁善并不回应，用手驱赶着被路灯吸引来的飞虫。

“给你。”周瓒讨个没趣，把东西塞给祁善，说，“今天那家日料店还不错，本来想给你打包，怕你最近吃不了生冷。这里面是几份甜品，老太婆那家的，陈皮红豆沙还热着，我交代用红糖煮的，感冒吃了也好。”

祁善心里怕怕地接过来，他换了副嘴脸，她反而一时不知如何招架。木了一阵，才问：“展菲呢？”

“送她回家了，这点礼貌我还是有的。”周瓒说得理所当然，“你以为我真的是海豚？”

祁善不自在地说：“别对号入座啊！”

周瓒失笑，“苦大仇深的，你又不是海龟。”

眼看他越说越不像话，祁善故意回头望向客厅，说：“你要进去坐吗？不进的话我上楼了。”

“急什么？我还有话问你。”周瓒见她要跑，上前两步，“是你跟展菲说我们其实也没有太熟，只是两家长辈关系好，才不得不来往得频一些？”

“是啊，我这么说有错吗？”

“睁眼说瞎话的本事也是书里学的吧？”

“我对你每一任女朋友、暧昧对象都会这么说，如果你非要把她们往我身边带的话。谁也说不准你会不会玩着玩着就当真了，万一其中一个成了你的结婚对象，以后免不了见面，我不能给自己找麻烦，也不想给你添堵。当然我也会言行如一。”祁善正色道。

“你倒会为我着想。”

“这是做朋友的基本义务。不用谢，你在子歉面前也要这样才好。”

周瓒比吃了屎还恶心，“原来是这样。可惜辜负了你的好意，我和展菲没什么戏。”他没有把心里的后半句说出来——“你和周子歉也一样。”

“你明知道成不了，为什么还要拖别人下水呢？”祁善无法理解他的思路。

“只是吃顿饭而已，想哪去了。”周瓒见祁善又要往屋里去，放快语速道，“我想让你知道我平时在外面是怎么样的，说多了你也不信。”

祁善更糊涂了。周瓒也不管她口罩下的表情，自顾自往下说："我正经的女朋友朱燕婷算一个，后来那个乌克兰人你是知道的。第三任是大学里的师姐，在那边华人圈里很受欢迎，我承认也有点虚荣心，总之好了半年多，她甩的我。回来后去潜水认识过一个摄影师，后来那个空姐缠了我一阵，被你看见了，其实我没答应。卖水果的小妞你算进来也行，她年纪太小了，我也不是禽兽。你大学同学那对表姐妹，表妹勉强算，表姐只是出去单独吃过几次饭而已。最近的就是那个女精算师，她说冲着结婚来的，我也没耽误她。我掰着手指给你数，也就这几任，其余都不算！"

"几任？"祁善定定看着他问。

周瓒果然语塞，又在脑子里悄悄数了一回。祁善苦笑，他自己连具体数字都记不清了，还敢说"也就这几任"。

"听起来是不少，可你别忘了时间跨度差不多有十年，平均算起来也没你想象中那么多是不是？我脾气好，担了虚名也无所谓，大部分还是别人甩了我。"

"她们也看出你中看不中用了？"

周瓒想骂人，又怕破坏了先前的铺垫，只是不悦道："我认真跟你说事，你别总拿话刺我。好坏我都告诉你了，大部分不是她们误会，就是你误会。你别把我妖魔化了。"

祁善沉默，他怪别人误会，却不曾想自己是否有意无意留下了让人遐想的空间。她曾经那些年不也是一场漫长的误会。眼前最紧要的是，她不明白周瓒为什么要对她历数这些事。早在下山那天，他故意提起自己在房间里玩了一晚上游戏，祁善就隐约感觉到他在试图解释一些事，虽然不情不愿的。

她用手指缠绕打包袋的提手，黯然道："周瓒，既然这样，要我也把'情史'翻一遍吗？毕业后，我相过两次亲，朋友也介绍过一个还不错的男人。前两次都被你搅黄了，后面那个说接受不了我身边有你这样的'好朋友'。我答应子歉很重要的一个原因是他不会轻易因为你的干扰多心误会。他和我一样都清楚你的为人。我多少任女朋友是你的自由，我从来没有干扰过你，也希望你不要再来影响我的私生活。"

"我的事是你不肯过问，你怎么知道我不会听你的意见。再说，我从来没有因为交女朋友疏远过你！"

"阿瓒怎么不进屋坐？最近都没来吃饭，忙什么呢？"沈晓星头发半干，顶着块毛巾站在门廊里说话。

周瓒暗叹口气，取下祁善一直钩在手里的打包袋，拿出其中一份，剩余的给了沈晓星，说："外面凉快。善妈，双皮奶是给你买的，定叔的椰汁西米是无糖的，他可以吃一点。"

"算你还有良心。"沈晓星笑着接了，又问，"真的不进来？你定叔有好茶。"

"我跟小善说点事。"周瓒索性在院子门口的台阶上坐了下来，顺便拉了祁善一把，又帮她把盒子打开，说，"你就在这里吃吧。"

沈晓星施施然回了客厅。祁定端着周瓒孝敬的西米露，担忧地问："院子里蚊子那么多，他们有什么话非要在那里说？"

"吃你的吧，少操心。"沈晓星斜了丈夫一眼。她去吹头发，余光忽然看到祁定拿了个电蚊拍走出去，她想叫住已来不及。祁定也有几分文化人的痴气，周瓒给他带甜品，难得年轻人有这份心，投桃报李，他不做点什么好像心里不舒服，想了想就给周瓒送个电蚊拍过去。

祁善坐在台阶上，手里端着周瓒硬塞过来的红豆沙却毫无胃口。她爸爸在向周瓒传授电蚊拍的使用方法，拍子在他们头顶不断挥舞着，发出噼里啪啦的蚊尸爆炸声，那声音让他上了瘾，一时间连电视剧都顾不上了。周瓒掰着小树枝虚心学习，难得安静。祁善又尴尬，又想笑。

“定叔，我知道怎么用了，让我来吧。”周瓒掰得脚下四处都是树枝屑，终于忍无可忍地拿下了电蚊拍，沈晓星也在屋里示意祁定赶紧回来。

她掩上门抱怨道：“我让你别多事！他们要是说什么要紧的话，你让阿瓒手里拿个电蚊拍不是煞风景吗？”

屋外的情景正如沈晓星所说，祁善闷头静坐，周瓒面无表情地在两人脚边用电蚊拍扫来扫去。这是个神奇的电蚊拍，拿着它，枉有再多花言巧语，似乎说出口都变得古怪莫名。

祁善晃动有些僵硬的脖子。这台阶他们也不知并肩坐过多少回，从什么时候开始他们之间的独处变得有些不自在，许多话说了还不如不说。从她的角度看去，并不舒展的夜空中只有稀淡的几颗星星。小时候祁善和周瓒去上合唱兴趣班，有一首歌是这么唱的：“天上的星星为何像人群一样的拥挤呢？地上的人儿为何又像星星一样的疏远呢？”

那时他们不明白歌词的意义。原来去最近的那个人心里，竟是最远的旅程。

祁善想要把红豆沙放到一边，周瓒看见了，奚落道：“连这个你也不喜欢了？人变起来可真快！”

祁善何尝听不出他的言外之意，可他们哪里是现在才改变的？她用了许多年才学会对一个人说“不”，这个过程在她看来实在说不上快。

“喉咙疼。”她解释自己吃不下的原因。

“那更要多吃点，陈皮润肺。”周瓒语气里是一贯的不容拒绝。祁善不置可否，虽然明知道口罩下的那张脸依旧是没什么表情，嘴唇也像撬不开的蚌，可周瓒还是受不了两人之间隔着那层东西，“在家戴什么口罩！”

“感冒前三天传染性最强……”

祁善话还没说完，口罩挂耳的一侧已被周瓒摘了下来。他手势灵活轻巧，搔过她的耳郭，就像他说的话一样让人气恼。

“传染什么？好像我会亲你似的。”

周瓒如愿地看到了祁善微微一撇的嘴角，这配合上她的白眼，才是祁善在他面前招牌的表情。这份熟悉感让周瓒的心思和动作更加活络，他把一片白色的东西从祁善的腿上弄了下来，“这是什么？”

祁善扫了一眼，“哦，是双面胶的碎片，我在包点东西。”

过不了多久就是他们两人的生日。周瓒问：“今年的生日你打算和周子歉一块过？”

祁善折叠那片小小的白色背胶，含糊地“嗯”了一声，“我答应他了。那天正好也是我和他在一起一个月的纪念日。”

他不说话，一下一下地按着电蚊拍的开关，滋滋的电流声叫人心烦。过了一会周瓒才冷笑道：“读了那么多书还是一样庸俗。纪念日这种东西无聊透了，你过的哪一天不是一生只有一次？现在是几月几号，几分几秒？等它过了，这辈子难道你还会再遇到同样的数字组合？要不要也纪念一下今天？”

祁善不以为然地说：“那也得有意义才行呀。”

“祁善，我们认识多久了？你和我在一起没有任何意义？”

这样的问句在祁善看来本身就没有意义。她招蚊子，周瓒的电蚊拍一停下来，她裸露在外的脖子上就被咬了一口。

“你快回去吧。我也要睡了，明天还要上班。”

祁善默默收拾脚边的打包盒。周瓒恨恨地朝那些飞舞的影子扫过去，又有啪的一声传来，爆破和碎裂的快感犹如自虐。周瓒扔下电蚊拍，忽然探身往祁善的嘴上啄了一口。

他清醒时第一次轻吻她。

“这样有意义了吗？”周瓒问。

第三十五章

阴影里的疯狂

Chapter Thirty-five

“祁善姐！”午餐时间，展菲坐在祁善对面，抱怨道，“我跟你说话呢。”

祁善忙看向她，“哦，我吃了感冒药，有点晕沉沉的。你说什么？”

“感冒能让人发呆？”展菲半信半疑，“不会是因为我昨天和周瓒去吃饭，你不高兴了吧？”

“怎么会！”

展菲的话有点怪，但盘旋在祁善脑子里的事确实与展菲无关。她觉得自己不过问一下展菲昨天的经历和感受似乎更怪，就说：“日料吃得开心吗？”

展菲说：“开心。你的小娇很会逗女孩子。”

“我的？”祁善想辩白，莫名地底气不足，因为她不知道周瓒会不会在展菲面前胡说八道。

“你是我们之间最好的话题呀。”展菲咬着筷子说，“其实挺开心的，可就是开心而已，没别的了。”

祁善想起周瓒昨晚上的话，他说要祁善看看他在外面是什么样子的。祁善过去对他的“人际交往”无甚兴趣，她想，无非就是“三浪真言”——浪漫、浪费、浪荡。

“他没做不好的事吧？”

“那倒没有。”展菲笑了，“可是我觉得我在他面前挺傻的。我想干什么他好像都清楚，可他心里怎么想，我完全没概念。好像你和人打麻将，他猜到你为什么要放这张牌，他手里有什么你却弄不清。和这样的人打牌一次两次挺刺激，打多了就没意思了。反正，他要是不主动约我，我不会再和他出去了。不能老给别人放炮呀。”

“哦。”祁善点头。展菲心里没落下芥蒂她就放心多了。

“祁善姐，你这里怎么啦？”展菲忽然指着祁善的面门问道。

多亏祁善沉得住气才没有去捂自己的嘴。昨晚上她已经照过镜子，什么痕迹都没留下。周瓒突如其来的那一下把祁善震住了，直到他开着那辆骚车离开，她也没顾上骂他。嘴上有些火辣辣的，她又疑心是事后自己咬的，他当时的动作其实很轻。到底是很轻，还是很重呢？她也糊涂了。

展菲问的其实是祁善脖子上刺眼的蚊子包。祁善反应过来，匆忙应道：“我们家蚊子太毒了。”

祁善的蚊子包三天都没消退，她生日那天子歉来接她，也问起了这个。

“你去哪里招惹这么厉害的蚊子？”子歉笑着问。

祁善只恨夏天穿不了高领衫，苦恼道：“下次让我爸在院子里喷杀蚊水。”

他们已经订好了晚上吃饭的地点。今早出门，沈晓星和祁定向女儿说“生日快乐”，又问她晚上想吃什么。祁善索性借此机会把她和子歉的事向父母摊牌了。沈晓星夫妇相互看了一眼，只是问他们在一起有多久了。祁善老实回答。祁定本想问“阿瓒知道吗？”那个“阿”字刚出口，就被沈晓星拧了一下，改口问：“你阿秀叔叔知道吗？”

祁善说：“你们知道了，阿秀叔叔自然也会知道。”

她在办公室给子歉打电话说了这事，没想到子歉沉吟片刻说：“我们把餐厅的预订取消吧。今天是你生日，你爸妈既然也知道了我们的关系，我再把你带出来不妥。如果他们不反对，我想去一趟你们家。”

祁善感叹子歉有太多的顾虑。他看似寡言冷漠，其实很在意身边人的看法，尤其是两家的长辈。祁善也理解他，暧昧的身世是子歉心里的一道坎，他盼着这桩姻缘能够得到家人的支持和认可，不想在任何一个关口失了分寸。说起来这也是他重视祁善的表现，祁善似乎并无立场反对。她随即又把子歉的想法对爸妈说了，沈晓星让她今晚带子歉回家吃晚饭。

“为什么看我？我的样子很怪？”子歉开着车，分神问身边的祁善。

祁善抿着嘴笑。他身上有淡淡浴液的味道，想是提前下班回去准备了一下，衣服也挑了很庄重得体的款式。周瓒成年以后的神情样貌更向他妈妈那边的血缘靠拢，骨相周正，五官打眼，在人群中容易被第一眼辨认出来，看久了会觉得过于凛冽，像烈酒。细看来子歉才更有阿秀叔叔身上那种风华内敛的气度，只是他眉眼、下巴线条更为硬朗，给人第一印象不太好亲近，熟悉之后会觉得他益发耐看。

到了祁善家，沈晓星已经在厨房准备，听说子歉要来，她特意请了半天假。子歉跟他们不可谓不熟，但还是郑重其事地备了见面礼。两个长辈陪他们在客厅寒暄了一会，沈晓星又去准备晚饭，祁定让子歉喝茶，拿了遥控器问他想看什么电视。

“爸，你自己看就好了。”祁善犹豫片刻，问子歉要不要到楼上坐坐。子歉当然愿意，他在周启秀身边生活多年，与祁善比邻而居，却从未见识过她的闺房。

祁善的房间给子歉的第一印象是高至天花板的书柜、看起来极其复杂的游戏机，还有床对面古朴沉重的大斗柜。他坐在电脑椅上，把礼物拿出来送给祁善，说：“最近太忙，抽不出时间好好准备礼物，希望你不要嫌弃。”

祁善当着子歉的面小心拆开，盒子里是一条品牌钻石项链，在并不明亮的光线里也熠熠生辉。

“啊，太贵重了！”祁善顺从地让子歉替她戴上，用手轻轻触摸那坚硬而冰冷的石头，由衷地说谢谢。她过了一会又自己摘了下来，笑着说：“为了我的脖子安全，这样的‘重器’要收起来才行。下次不许再这样破费了。”

“往哪里收？莫非你房间里还有个宝库？”子歉笑道。他忽然记起二叔有一次随口开祁善的玩笑，说别看她不爱逛街也不买大牌鞋包，烧钱的爱好也不少，家里收了不少好东西。想到这里，子歉有些好奇，对祁善说：“难得来了，不让我欣赏一下你的宝贝？”

祁善有些腼腆，却也没有拒绝。“我喜欢收一些小东西罢了，算不上宝贝。”她见子歉是真的有兴趣，就走到斗柜前，打开其中最大的一扇柜门，里面赫然是个中型保险柜。

“果然有个小宝库。”子歉手支在电脑桌上笑着道。

保险柜里最惹眼的是数个码得整齐的盒子，祁善取出其中一个，小心地将子歉今天送的项链也放入其中。子歉看到这个首饰盒里每一个绒布铺垫的格子里都放着颈饰，材质款式各异。他第一次送她的素金链子也在其中。

“莫非戒指、手镯也各攒了一整盒？”子歉开她的玩笑。

既然都已经开箱了，祁善也不藏着掖着，她像摆弄心爱玩具的小孩一样依次把几个盒子在子歉面前打开。不看不知道，这些盒子里分门别类地放着手串、佛珠、玉器、把件、印章以及各类零星小物，不一定都贵重，但都十分别致，有些还很有年代感，摆在一起蔚为可观。子歉也知道祁善自幼家境优渥，父母疼爱有加，她爸爸在收藏界小有名气，她有些好东西并不稀奇。他有心理准备，可乍然看到这些东西摆出来，依然超乎他的想象。

“这个牛血红坠子颜色是不是特别美？你闻闻这串沉香，味道清甜里带点奶香，是达拉干的沉水料……还有这块蓝珀，我自己用原石打磨的，下次我给你做条手串，还是你喜欢紫檀或南红？”祁善津津乐道，一一向子歉介绍，这些东西在她眼里犹如精美的弹珠。子歉对于文玩不甚了解，里面很多东西他不知道是什么，祁善说了他也未必记得住。他不太确定她过去有没有对他说过这样长篇大论的一段话，子歉印象中的祁善总是温和沉静的，现在盘腿坐在一堆小玩意前的她前所未见，眼里像有光。

想是祁善也察觉到自己有些失态，赧然一笑，说：“这些东西大部分不值钱，尤其和我爸的宝贝相比，用周瓒的话说就是一堆破烂。只是好玩而已。文玩是个无底洞，让人恨不得长八个肾。”

“我很少看到你戴首饰。”子歉走过去蹲在祁善身边说。她身上最常见的点缀是手腕上偶尔缠着的珠串。

“太贵重的东西我不习惯戴在身上，像你送的钻石项链，我得好好保存。”

“这些东西你从哪搜刮来的？”子歉亲昵地刮了刮她的鼻子。

祁善说：“有些是我爸给的，还有些……”

她的话打住了，可子歉却了然于胸。他平静道：“周瓒送了不少吧？”

“也不是送，就是给来好玩，很多都是小时候的东西。还有些是他放在我这里而已。”祁善迟疑地看了看子歉，睫毛微微扑闪。她虽会替人着想，但毕竟本性淳厚，也不擅说谎。

子歉看出祁善担忧他的感受，他并不怪祁善。祁善和周瓒的相识远在他之前，从追求她的那一天起，他就想过周瓒是他们之间绕不过去的存在。子歉对祁善是有好感的，甚至接近于喜爱。她是他的理想伴侣，无论她的哪一方面都可以让子歉更趋近于目标中的自己。为此他忍受周瓒，如同享受阳光时接纳阴影。

他相信自己终有一天能渐渐驱散这阴影的面积，也想过和祁善好好过一辈子，珍惜她、善待她。可这时却有一个声音在提醒着子歉，祁善与周瓒的关系远比他想象中深厚。无论她如何回避掩饰，也总在不经意间提醒着他——同是赠予，他精心挑选的礼物才是“送”，而在周瓒那里只是轻轻松松一个“给”字。周瓒有挥金如土的资格，可真相是他俩不分彼此，所以祁善才会想都不想就把自己的积蓄交给周瓒支配，她大概都不知道周瓒新开的公司是做什么业务的。他们的亲近与生俱来，仿佛融入血肉骨骼，连灵魂都有所共享。

祁善每次收到子歉的礼物都会赞美一番，那只是因为她考虑子歉的感受，可对于她而言，钻石项链真正是值得她欣喜雀跃的东西吗？子歉一点把握也没有。他痛恨这种无力感，却必须承认他不懂祁善。他捕捉不住她眼里的光，她身后的阴影却随时会席卷而上。

有一瞬间，子歉居然想到了阿珑，最近阿珑缠他很紧，他烦不胜烦，可只要他稍稍假以辞色，阿珑就会很快乐。

“还有私货？”子歉把阿珑驱赶出脑海，对祁善开了个玩笑。

保险箱角落只剩一个匣子祁善没有打开，看起来却比其他的首饰盒更为考究。祁善沉默了一会，选择据实以告。她说：“那是嘉楠阿姨留下来的东西，周瓒存放在我这里。”

子歉也陷入了深思。如果周瓒在子歉眼里是阴影，那冯嘉楠就是更浓黑处的深渊。子歉与她几乎没有交集，但他难以自制地敬畏着、想象着、好奇着这个视他如眼中钉的女人。她烈火般强势逼人，即使她死了，也从未在子歉最在乎的二叔心中熄灭。

“我……能看看吗？”子歉克制不了那份好奇，连说话的尾音都有了轻颤。冯嘉楠没有正眼看过他，仿佛只要祁善打开匣子，子歉就能短暂窥探那个女人的世界。

匣子里全是贵重首饰，有蓝、红宝石的戒指和耳坠，钻石吊坠，祖母绿项链和翡翠镯子。与它们比起来，祁善那些琳琅满目的东西全成了小孩子的过家家。

“周瓒把这个也给了你。”子歉喟叹。

“不不！”祁善马上解释。冯嘉楠去世后，周瓒有一段时间情绪极度低落，当律师陪同他去银行保险柜取出他妈妈留下的东西时，他的伤心有一部分转为了愤恨。她到死都要控制着他，让他脱不了内疚，把一切不由分说交到他手里，唯独不给他偿还的机会。

周瓒对首饰一点兴趣也没有，他要祁善拿走，理由是如果他妈妈活着，最想给的人一定是她。祁善哪里敢收，推托一阵，周瓒就来了气，扬言说她不收也行，往后每一个跟他约会的女孩他都送一件，很快就能把首饰盒清空。这是嘉楠阿姨的生前爱物，祁善怎么可能眼睁睁看着他胡闹？最后在周瓒得意的目光里，她把这匣首饰也锁进了她的保险箱，一放就是八年多。

子歉听完祁善的情由也不言语，他发现匣子里还有一只腕表，不禁问：“这只男表也是……她的？”

祁善差点忘了周瓒搁在她这里的“春宫三问”。子歉忽然提起，她叫苦不迭，支吾地说：“这，这是周瓒给我抵债的！”

子歉看她面色有异，又听闻是周瓒的东西，含笑把表拿在了手里。

“抵什么债？他喜欢宝珀？”表盘的正面平淡无奇，子歉看不出特别之处，随后他在祁善欲言又止的神情里翻到另一面，想是视觉冲击过于强烈，他愣了片刻。

“周瓒就是个疯子。”祁善垮了肩膀，“只有他会收藏这种疯狂的东西。”

子歉的拇指蹭过表壳背面精金镂刻的春宫图。真有意思，他更看不懂周瓒了。他稍稍调整了一下腕表上的时间，悠扬的三问报时声响起，图案上赤裸的两人开始徐徐动作，一时春色无边。祁善虽已见识过，但当着子歉的面仍不忍直视，红着脸收拾地上的东西。

当动静停止，子歉把表放回原处，忽然笑着说：“那些制表工匠的手艺确实精湛得很。不细看的话那女的还有点面熟，像你。”

祁善脾气再好，听到这样的话也坐不住了。

“说什么呀！”

“生气了？开个玩笑而已。”

子歉揉了揉祁善头顶的头发。祁善面带嗔色地拾起那块表，拿在眼前端详，想要证明子歉这个玩笑开得有多离谱。她记得这一系列的表都是欧美人的模样，除非是……特意定制。她以往没来得及细看，这次才发现表壳背面的女体纤瘦，眉目细致，头发有一边略长，一边短。

祁善如坠寒池，胸腔又被人用热油灌透。

第三十六章

寄生者与入侵者

WE

Chapter Thirty-six

子歉和祁善双双下楼。沈晓星对他们说：“再坐一会，晚饭马上就好了。”

祁定回画室继续创作他未完成的作品，开放式的厨房里多了一个人。祁善再也沉不住气，她给子歉找了本杂志打发时间，也顾不上那是她妈妈行业的学术期刊，自己一溜烟也进了厨房。周瓒正在给沈晓星打下手，沈晓星观察炖牛肉的火候，他忙着拌秋葵。祁善走近，周瓒连头都没抬，说：“你们继续腻歪吧，这里没你的事。”

祁善面无波澜，这是她从楼上下来时就保持着的状态。然而如果赦她无罪，她会把周瓒的头按在炉火上，再用菜刀剁他的剩余部分。她把妈妈拉到厨房后面的小露台，用一种快哭出来的声音问：“你怎么能让他来呢？”

沈晓星的手在围裙上擦拭着，她也感到冤枉，“谁？阿瓒？我没让他来。难道他来都来了，我还把他赶出去？”

“赶出去怎么啦？你明知道子歉在这里，是要逼死我吗？”祁善有苦难言。

沈晓星倒没想到祁善会将这件事上升到如此高度，不解地看着女儿，“你们又搞什么鬼？前几天还聊得好好的。往年生日他都过来吃饭，今年你要我怎么开口？”

再说下去铁定又扯出“他都没妈了”这条万能定律。祁善低声抱怨道：“妈，你故意纵容他！”

屋内传出周瓒的提醒：“善妈，你的牛肉汤扑锅了。”

“来了。”沈晓星应道，她转身前对祁善说，“我为了谁？只有我纵容了他？”

菜都上了桌，祁定也去洗手上沾染的颜料。子歉执意帮沈晓星摆碗筷，周瓒已在餐桌旁坐了下来，不无同情地对子歉说：“找个饭都不会做的女人，你要做好心理准备。祁善这个人，说她文艺又脱不了世俗，看似良家其实一点也不贤惠。你八成想不到以前就我跟她两个人在家的时候，是我给她做饭的吧？”

“少吹点牛，待会还要吃饭！”祁善沉着脸帮子歉的忙。

周瓒说：“我没冤枉你吧？”

祁善做什么事都很认真，唯独家务方面有些敷衍。沈晓星夫妇没有要求她非学不可，她就放任自己这点惫懒。偏偏她还有点小洁癖，没人帮忙的情况下，她本着多一事不如少一事的原则，不好清洁的事尽量不干，太麻烦的食物尽量不吃。《红楼梦》《金瓶梅》和《随园食单》里关于饮食的典故她如数家珍，却很少进厨房。

周瓒吃过祁善煮的菜，他说那些菜和她给外人的贤良印象完全成反比。他自己会的也只是那几样，炒各种蛋，偶尔能做个凉拌菜，煎个牛排，胜在三板斧操作水平熟练。他虽爱折腾祁善，嘴也坏，但是在两人的生活共处中，他是比较能照顾对方的那一个。

他招呼祁善和子歉，说：“要不要尝尝我做的‘印度秋葵伴秘制微酸浇汁’？”

祁善撇撇嘴，不过就是个“凉拌秋葵”，居然还用了家里最大号的菜碟来摆盘。华而不实，他一贯的风格。他们不捧场，周瓒自己尝了一口，被沈晓星一巴掌打在手臂上，“你的爪子洗了没有？也不怕子歉笑话。”

祁善视而不见，她挪了挪碗，拒绝周瓒给她舀汤，又主动给子歉夹了一块肉，说：“你能吃辣，我特意让我妈放了干辣椒。”两人相视而笑，子歉的眼里有感激。

周瓒也把一块肉放嘴里，不冷不热地说：“太腻人，我快要吐了。”

“赶快吐，吐出来给我看。”祁善气愤不已。

“你们还是小孩子吗？”沈晓星的一声喝止终结了口水仗。

吃过饭，天已经黑了下来，平时这个时间段沈晓星和祁定雷打不动地要去散步，然后祁定还要赶回来看八点档热播剧。沈晓星麻利地把碗筷收拾完毕，周瓒体贴得很，他让善妈和定叔照常去锻炼，碗留下来他来洗。沈晓星笑着说：“我们今天就不出去了，子歉难得来一回。”

祁善看不惯周瓒惺惺作态，她对爸妈说：“你们快去吧，等会我和子歉也要去看电影。”说罢又朝周瓒道，“是该你洗碗，只做一个凉菜，前后用了四五个碗盘。”

“好了好了，你说他干什么，他还肯做事，你什么都没干。”沈晓星轻轻打了一下祁善。她这个女儿谁见了都说温厚大方，唯独在对待周瓒时得理不饶人，“也不怕子歉看了笑话。”

“他不是想要表现？我成全他。”祁善小声嘟囔。

沈晓星说：“他表现给谁看？”

周瓒无所谓得很，揽着沈晓星的肩膀将她推出门，“善妈，早去早回。”沈晓星夫妇叮嘱了他们几句，又让子歉“有空常来”，随后就出门去了。祁定还有些磨磨蹭蹭，沈晓星提醒他晚了就只能看电视剧重播，他换鞋的速度也快了不少。

祁善要回房间换身衣服，周瓒叫住了她，抛给她一支药膏，说：“舒缓蚊子叮咬的，都几天了，蚊子包还没消。回头别又赖在我头上。”

祁善接了，一时也不知说什么好。周瓒笑道："看什么？难道要我给你涂？"

"快滚去洗碗吧。"祁善瞪了他一眼，想要上楼，看到坐在沙发上翻杂志的子歉，又有片刻犹豫。周瓒看穿她的心思，话里带着鄙夷："一下都离不开，怕我吃了他？"

祁善楼梯刚走了一半，听见周瓒和子歉闲聊，问最近有什么好电影。子歉答了。周瓒不经意地说："还是看电影好，免得在室外又喂了蚊子。她那种疤痕体质麻烦得很。你要小心，啃一口第二天包管全世界都知道。"

"周瓒，你给我闭嘴！"祁善扶着栏杆骂道，刚才对他赠药那点小小的感激瞬间荡然无存。

"什么都说不得，你们有那么纯洁吗？"周瓒不买账。等祁善上了楼，他也朝厨房走去，不忘好奇地问子歉："她跟你聊天连'啃一口'这种词汇都不许用？"

子歉淡淡道："她不想说的话题我会尊重她。"

"那你就错了。"周瓒失笑，"祁善骨子里可比她那张知识分子的脸奔放多了。她是冷面混子，外表温良，里面五毒俱全，像穿着情趣内衣的尼姑。"

子歉把手里的杂志扔到一边，皱眉道："阿瓒，你有完没完！"

周瓒轻佻地吹了声口哨，"我又说错话了？"

"你说再多也改变不了一个事实，小善她不想和你在一起。你们从前关系再好也没用。"

"你知道我和她从前有多'好'？"

"她不选择你这样的混账简直太明智了。"

子歉难得对周瓒说了重话，周瓒也不放在心上，依旧和颜悦色："说起来你和魏青溪以前也好得很，可惜……哦，我忘记问了，魏青溪这个话题可以聊吗？"

"这不关她的事！"子歉的沉稳出现了裂缝，语气也带了几分狠劲。他就知道青溪的事少不得周瓒插一腿。

"你们俩的关系断了，可我和她还是朋友。"周瓒倒了杯水，靠在厨房流理台旁，"她对我说过很多村寨里的趣闻，比如……"周瓒回忆了一下，在脑子里翻出了那个拗口的词，"对了，叫'叩心门'，你一定听说过。"

子歉茫然了好一会才想起了周瓒说的是什么。那只是青溪她们那个苗族村寨的传说。苗女多情，为保情郎永不变心，她们有古老的法子。据说两个有过亲密关系的男女只要收集一缕双方的头发，系在一起烧成灰，再在恰当的时辰合着心头血服下，就能永不分离。这个说法流传至今，即使还有人记得，也早已成了一种形式上的寄托。若真能奏效，世间哪来那么多痴男怨女。子歉不明白周瓒为什么要跟他提这个。

"我听青溪说，她有过机会在你身上试一试，可她舍不得，万一显灵了，她不想在你不情愿的情况下绑住你一辈子。说得好听，你们到底睡过没有？"周瓒也不管子歉的脸色变得铁青，过了一会又说，"改天让她在隆兄身上做试验，把隆兄给降住了才是她的真本事。"

"隆兄？"

"你还不知道青溪跟了隆兄？"周瓒夸张地感叹，"他们俩凑在一块真是绝了，我听说隆兄现在根本不让她上班，还给她租了房子。你的小青梅泼辣得很，隆兄身上的巴掌印就没断过。细节不说了，我也受不了。"

趁子歉还在震惊之中，周瓒悠哉地吹着杯里的热气，自说自话道，"祁善最喜欢听那些旁门左道的事，你说，‘叩心门’这回事她信吗？我反正是不信的，不过试一试也没关系。”

子歉再也无法安坐，所有他不愿意去想的事全堆积在胸腔里，所性还能发声，他说：“周瓒，你别欺人太甚！”

周瓒说：“嫌我碍眼？这就对了，我们本来就是对方的肉中刺，何必百般做作地扮哥俩好。”

“别得意，你得到的一切只是因为命好，哪一样靠的是自己的努力？你这种人和寄生虫没两样，离开了宿主你什么都不是。”子歉愤恨之余，也不在乎说出长久以来自己内心对周瓒的评价。

“莫非你以为是我霸占了你的好‘二叔’，还有祁善？我是寄生虫，因为那本来就是属于我的东西——我的家庭，我的感情，每一样你都要介入，那我不也可以把你当成侵略者？”周瓒反唇相讥。与子歉的紧绷相反，他似乎还想着别的事，在橱柜和刀架间一阵翻找倒腾，很快，他找到了想要的东西，背对着子歉发出极轻的嘶声。

子歉咬牙道：“你没珍惜过你得到的东西，也不配得到。就拿祁善来说……”

周瓒转身回应，脸色也沉了下来，“我再浑蛋也是我和她之间的事，至少我和她在一起不是为了讨别人的欢心。再说一遍，我由着她闹闹别扭，给她时间让她脑子转过弯来，可她从来不是你的。”

“听说过龟兔赛跑吗？”子歉面上有嘲弄之意，站在他面前的不就是一只被骄傲自负所累的兔子？

周瓒还以冷笑：“你要做龟我没意见，可别以为兔子每次都睡着。”

祁善下楼时他们刚结束针锋相对，两人脸色都不太好看。她不明所以，首先拿周瓒开刀，说："你不是说要洗碗吗？"

周瓒甩着手向她诉苦，"我手弄伤了，十指连心，你还想让我干活！"

"又找借口。"祁善苦恼地看着洗碗槽里的一片狼藉，"你不洗就早说呀。"

她怕妈妈回来后发飙，让子歉等她一会，拿了围裙，心里想着要速战速决。周瓒把手里搅拌了好一会的杯子递给她，一脸讨好，"你的饭后蜂蜜水，今天还没喝吧？"

"无事献殷勤。"祁善不搭理他。

"我好心给你泡的，快喝，喝喝喝……"周瓒不由分说把杯子凑到祁善嘴边。他平时也这样，好的时候特别黏糊，翻脸不认人也很快。祁善烦了，怕他越闹越出格，她双手都戴上洗碗的胶手套了，打算就着杯子抿一口来打发他，嘴唇刚碰上杯里的液体，子歉突然冲了过来，没等祁善回神，重重一拳落在周瓒的脸上，蜂蜜水尽数泼洒在祁善胸前，沿着围裙淅沥往下。

周瓒踉跄地退了一步，身体抵在流理台的边缘，他诡异地笑了一声，偏着头抹了一把嘴角的伤处，迅速还以痛击，两人顿时扭打在一处。等到祁善从最初的惊愕和无措中反应过来，流理台边缘的碗筷已碎落一地，她爸爸摆在厨房的绿植也东歪西倒。身形和体格相似的两个人谁也无法彻底压制对方，周瓒脸上刚挨了一下，手肘重重顶在子歉胸口，趁机反身将他抵在冰箱门上。祁善扑上前奋力拽了他一把，试图将他俩分开。

"你们吃错药了……周瓒，你想干什么！"

周瓒扬起的手迟疑了片刻，当即被子歉推搡开来，险些压倒了那棵无辜遭受牵连的高大绿植。子歉借势反扑，祁善拖住他的胳膊，人也挤入打红了眼的两人中间，喊了一声："要打出去打！"

一地狼藉的厨房里只剩下两个男人稍显急促的呼吸声。子歉停步不前，周瓒站直了身，拍打着身上的盆栽土。前后不过一分钟的时间，他们像做了一件从前许多年一直想做的事，只是谁也没有占着便宜，两人都吃了点苦头，停手之后眼神始终拒绝望向对方。

“你没事吧？”从祁善的角度看去，子歉额头和颧骨上有明显的红肿，衬衣的两颗纽扣也不知去向。子歉嘘了口气，缓缓摇头。

“到底是为什么？”祁善又问了一句。她依然满头雾水，明明上楼之前两人还算相安无事，她已用了最快速度下来，虽感觉到气氛古怪，但那些不愉快还只停留在脸上，怎么毫无征兆地就像疯了一样动起手来？周瓒是惹事精没错，可究竟是什么让子歉也沉不住气？

没有人打算回答她的问题，相比刚才的激烈，三个人的厨房陷入了异乎寻常的安静。

“子歉？”

面对祁善征询的目光，子歉露出一个惨淡的笑容，他的手也慢慢从祁善的牵制中抽离，几步走回客厅，从沙发上拿了外套，回头看了眼祁善，却什么也没说，匆匆走向门口。

等到祁善追了上去，子歉已发动了车子，他看着怔怔站在车道旁的祁善，叹了口气，说：“生日快乐。对不起，我知道今天晚上大家不怎么快乐。”

祁善游魂一样荡回家中，周瓒背对着她站在厨房里。

“你还不走？”祁善问。

周瓒把一坨纸巾扔进垃圾桶，又扯了几张干净的捂在手上，扭头看她，“我干吗要走？你还没给我一个说法。”

"说法？"

"当然。祁善，你拉偏架不觉得惭愧？明明是他先动的手！"周瓒平静地指控。

"难道你什么都没做？"祁善不为所动，她太了解他。

周瓒再度换了捂伤口的纸巾，点点头说："你就这么对待我！"

"这还是轻的！"祁善到底还是走了过去，拿开沾血的纸巾翻看他的伤处。周瓒的左手掌心划破了一道大口子，想来是刚才他几乎摔倒时用手撑了一把地面，正好按在了碗碟的碎片上。她不顾周瓒呼痛，将他的伤手拉到龙头下冲洗，嘴里说道："你不惹事，别人会揍你才怪。他被你打得也不轻。像小孩子一样打架，你还有脸喊痛！"

她一肚子气，絮絮叨叨地训他，像责骂闯祸的孩子。周瓒之前因她偏护着子歉，只知道问子歉有没有事，对他却一味呵斥的那点怨愤和失落消散至无形。他以前在外和别的小孩有了纠纷，他妈妈那么护短的人也是先追究他的不是，看看对方有没有被他打坏，回头再心疼他吃下的亏。这并不意味着她们对他不好，谁是自家人，谁是别人，关键时心里自见分晓。

周瓒低头看祁善板着的脸，还有她汗湿的额发和小心清理他伤口的手。祁善是清凉无汗的体质，除非激烈运动鲜少见汗珠沁出，她的人也是不善于将情绪表达出来，什么都藏在过于风平浪静的外表下。可周瓒无比笃定，她在意他，而且此时心里并不好受。想到这里，掌心火燎一般的伤口也疼出了几分快意，周瓒甚至觉得自己的血流速度也加快了几分，也怪不得那血怎么也止不住。他像恶战一场回家后被拂顺了毛的猫，满足，又有些委屈，忍不住想蹭蹭她，心里的话也自然而然地溜出了口："我一直不信在你心里我比不过周子歉。"

祁善闻言也有所反应，她松开了他的手，静静看他，深深看他。周瓒心如入锅的黄油一点点化开，更直白的话眼看要挑明，忽然一声脆响，他脸上挨了个湿漉漉的耳光。

他张口结舌地捂着痛处，那痛叠加着嘴角原本的伤，又有掌心的痛感相呼应，该死的血，高兴时流不停，郁闷时更止不住。

“你干……干吗？”周瓒结结巴巴地问行凶者。

祁善面似寒霜，“不要脸的王八蛋！”

第三十七章

命定的伴侣

WE

Chapter Thirty-seven

周瓒手上被割裂的伤口长且深，怎么也止不住血，最后被祁善撵去了医院。他开不了车，所幸祁善把他塞进出租车时，自己也跟了去。急诊的值班医生给他缝针，连麻药都不上，疼得周瓒鼻子眼睛扭作一团，也无心在娇俏的小护士面前保持形象。祁善冷眼旁观，就差没从鼻子里哼出“活该”二字。

趁祁善去交费拿药的间隙，小护士给周瓒处理脸上的伤口，调侃道：“你们家那位真舍得下狠手。”

周瓒缓过劲来了，扯着嘴角的伤口甩出他招牌式的笑，“更狠的伤我没好意思让你看。”

医生开了消炎的注射药，周瓒手上挂着输液瓶，药水滴过了三分之一，祁善才捏着病例和缴费单坐到了他身旁，两人之间还隔着两张空椅。夜里的急诊输液室空荡荡的，除了他俩，就是一个病恹恹的老头，垂着头像是睡着了，不时咳嗽几声。祁善沉默地靠在椅背上，脸上写着疲惫，她并没有理会周瓒的意思，可她还没走，万幸。

“喂！”周瓒清了清嗓子，想示意祁善坐近了说话，到头来还是自己拎着输液瓶挪到她身边，小心翼翼地问：“我哪里不要脸了？”

在出租车上他就按捺不住想问，考虑到有旁人在场祁善决计不会回答，他也不做白费工夫的事。

“打也打了，总要给我死个明白。”他用手肘碰了碰祁善的胳膊。

祁善说：“你不要脸的事做多了，才会想不起来。”

周瓒闭嘴，他不敢说自己此时脑子里确实有几个备选事项，只是不敢确定今天被揪出来的是哪一桩，不好贸然开口。在祁善面前，他对自己的道德要求一向放得很低。

“是因为……那天在你家院子里我亲你了？”祁善又不说话了，周瓒只能选择最保险的一项来试探试探。他隔着一道座椅扶手尽可能地偎近她，轻声追问：“是吗？”

不管是不是，他现在就很不要脸，说话的气息足以撩动祁善耳际的碎头发。祁善喃喃低语道：“周瓒，朋友不是这么做的！”

“做朋友这件事从来都是你自说自话，我可没那么说过。”周瓒说，“你想要心安理得，我配合你罢了！”

祁善抬起下巴想要驳斥他的无耻言论，然而她拼命回忆，除去嘉楠阿姨葬礼上他说过“我以为我们‘至少’还是朋友”，她确实想不起周瓒什么时候主动提起过“朋友”这一茬。可这不该是心照不宣的事实？就算是件皇帝的新衣，他们也是有默契地一齐穿上的。

“如果不是朋友，我也没必要再在这里了。”

祁善站了起来，周瓒用裹着纱布的手去拉她，紧得两人的眉头都是一皱。

“祁善，我问你，你要怎么定义男女间的那回事？别跟我讨论柏拉图那一套！”

祁善惊惶地笑，“我为什么要跟你说这个？”

周瓒说：“因为这直接关系到我的耳光挨得值不值。你不说，那我这个‘不要脸的王八蛋’先来。我告诉你什么是‘朋友’，隆兄是我的朋友，你眼中的狐朋狗友都算，就连阿珑和展菲都算，你不算。我不睡朋友，也不会跟我的朋友结婚。”

祁善那种被油锅煎着的焦灼又冒出来了，垂在身侧的手不由自主地轻抖。不知是不是她多心，前方点滴打到昏沉沉的老头仿佛也精神一振。

“你说什么呀，除了这个你没别的可说了，那就不要说了，住嘴住嘴！”她凌乱地组织语言。

周瓒故意跟她过不去一般，“圣人还有儿子呢，这有什么不能说？爱情不过是裹在情欲外面那层花哨的纸，迟早是要撕开的。”

祁善气息紊乱抗拒着他的洗脑，她竟莫名想起了叔本华那句经典的言论——所有两情相悦的情愫，不管表现得多么的缠绵悱恻，都根源于性欲本能。

“你简直是流氓中的哲学家！”祁善对周瓒既鄙夷又叹服。

周瓒含笑道：“客气客气。在自欺欺人方面，你的博士学位早该到手了。”

“什么意思？”

“你看，又来了，我还低估你了，至少要封你一个博导。我什么意思你不知道？当初你说我们之间什么事都没发生，我顺着你。你不提，我也没说过半个字。可事实就是事实，你承认不代表我不记得。我们早就不是什么狗屁朋友！”

周瓒手心的纱布极具意味地摩挲在祁善的手背上，祁善瑟缩着弹开。这是她在独自一人的深夜也不敢翻出来寻思的回忆，锁在最深层的秘密，护得太严实，她都已开始相信什么都没发生，现在却被他无所顾忌地拿出来谈论。

“你走就走吧，反正也不是头一回翻脸不认账。你不记得那天晚上你说过……”周瓒的话来不及说完，被抓着包走出几步又杀气腾腾折返回来的祁善及时终止。他的脸偏向一边，连捂也不捂了，莫名想起隆兄的“乐趣”，周瓒陡然失笑，说：“别老打同一边脸行不行？”

祁善脑子已然放空，眼看就要成全他，周瓒忙截住她挥过来的手，“其实你当时根本没说话，你忘了？”

她只叫了他的名字。小娇，周勺子，还有阿瓒阿瓒阿瓒……

他用以拦截她的手正挂着输液管，抬得太高，眼看有静脉血顺着输液管回流。祁善挣也不是，不挣也不是，难过得无以复加，另一只手覆在脸上，颤声道：“我说什么都没有，就是没有！这样不用介意，你也不必担责，大家都好。”

周瓒跳了起来，牵动输液架一阵哐啷响，他骂道：“你别含血喷人啊！哪只耳朵听见我说怕担责任了？我要不是怕你心里别扭，会顺着你的话往下说？你说什么就是什么，你不提，我敢逼你？别以为就你吃亏，老子当初也纯洁得很，从头到尾都是你在我上面。”

祁善一屁股坐回了椅子上，不顾形象地屈起腿，缩着肩膀把头埋了进去，仿佛这样就可以关闭五蕴六尘，心无所碍。她不为已发生的事后悔，然而他当初轻描淡写的掠过始终是她心里放不下的芥蒂，从而更咬紧牙关绝口不提。

那晚她醉得比周瓒深，他记得的事也就比她多。祁善想起了春宫三问表背面的图案，嗡嗡地骂道：“你简直变态到极点！”

面对新的指控，周瓒又在心里迅速进行了一遍自查自纠，过了一会，他迟疑地问：“你指泳衣的事？”

祁善被他气得心灰意冷，闷声从包里翻出那只罪魁祸首的表，重重拍在周瓒的胸口。从她注意到表壳后的异样，便恨不得找机会把整只表塞进他的嘴里，只有他的黑心烂肺重口味才能消化掉那变态玩意。

周瓒接住那块表，脸上顿时乐了，“别扔啊，这表还挺难得的，当初让我整整等了一年。你什么时候发现的？”

“子歉提醒我的时候。”祁善冷冷道。

“哦……难怪！”周瓒的遗憾毫不走心，很快又恢复至眉开眼笑，细看了一会他的“宝贝”，把表凑在她眼前邀功，“我自己提供的线稿，完全凭记忆画的。我觉得我把你画得比较传神。”

祁善紧闭着眼睛，她感觉到他胳膊传导过来的热气，想让他滚远一点，他的脸落入视线范围，却已收起了不正经。

“祁善！”周瓒欲言又止。

祁善身上浅浅地浮了一层鸡皮疙瘩，不知道他又要搞什么鬼，只听见他说：“我要上厕所。”

值班护士说没有移动输液架，周瓒死活憋不到一整瓶点滴打完，他如愿以偿，祁善送佛送上西。令周瓒意外的是，祁善在这件事上并没有表现出太多的扭捏不适，她那种无动于衷类似于见过了阎王，也不在乎小鬼上蹿下跳。

祁善拎高了输液瓶站在灯光不甚明亮的男厕所，背对周瓒。周瓒在小便池前，一手缠着纱布，一手挂着输液管，窸窸窣窣的好一会也没完成前期准备工作，刚试探着喊了声：“喂……”

“适可而止。”祁善古井无澜。

周瓒本来也只是想开个玩笑，在她这般反应下也不敢再得寸进尺，识趣闭嘴。又听祁善的声音不轻不重地从身后传来，“周瓒，我想你答应我两件事。”

周瓒讶然回望，发觉不妥之后又及时转身，所幸她留给他的只是背影，“你先说。”

“那晚上的事我有一半责任，我……不怪你。已经过去了，从前可以当没发生，以后也没必要再提。”

“我为什么要答应？”

祁善早料到他有这么一说，继续道：“你答应，我感谢你。不答应的话，像你说的，我们早就不该做朋友，也没必要再勉强。”

回应她的是一道水声，在安静得几乎可以听得到点滴流动声的空间里分外清晰。祁善耐心等待，过了一会，他在冲水的声响里痛快地呼了口气。

“周子歉知道了？”

“你先说他为什么打你。”

“好，祁善，我可以闭嘴。如果周子歉追问手表的事或起了别的疑心，其实也简单，只要你不承认，权当是我的意淫好了，这算不了什么。也不用你感谢，我不是为了成全你们。我要让你知道，我不靠那点陈年旧事。你们以后成不了，也赖不到这上头。”

祁善沉默，周瓒慢条斯理地整理自己，说：“你总把我想得太不入流。以前和你相亲的两个男人，一个娘里娘气，一个三句不离你爸的收藏。你同事介绍那个海归博士和前女友都没分干净。你倒好，把责任都推到我头上。”

“好和坏，成不成不该你说了算！”祁善背影僵直。

周瓒说：“我看不惯你自相矛盾，口口声声把爱挂嘴边，你找的是你爱的人吗？”

祁善气极反笑，“‘爱’字从你嘴里说出来太可笑了。”

周瓒的话里也有困惑，“欲望和依赖，这些我们都不缺，还不够吗？”

一侧洗手台有个关不牢的水龙头，滴答个没完，小便池水箱哗啦啦地蓄水，隔壁女厕好像进了人，脚步声，闩门声历历在耳，半封闭的空间里混合了消毒水和淡淡腥臊味。祁善做梦也不曾想过她有一天会在厕所和周瓒讨论

“爱的真谛”。

不知什么时候他已转过身来，贴近她站着，“祁善……”他又喊了她一声，手犹豫地触碰她的肩膀。她还举着输液瓶，周瓒盼着那瓶药水怎么也滴不完。

“你洗手了没有？”祁善晃动肩膀闪开他的手，忍无可忍，“我要你答应的第二件事：好好说话，不许靠得太近！”

护士给周瓒拔了针，祁善在外面打电话，周瓒目光不时投向她走出去的方向。从厕所回来后，他连心理上都有了一种畅快感，像付出了百分之九十九汗水的人终于找到了那最后一份灵光。他精准地将按压扎针处的棉签扔进垃圾桶，坐在他身边的老头打量着他满脸的春风荡漾，还有一身的伤，投以同情的目光，“造孽啊！”

周瓒把那块表戴回自己的手腕，他从不避讳自己在这件事上的疯狂。早在隆兄无意中提起这款表的存在，他就充满了兴趣：不需要伟大的主题，只有无理性而又直白的热烈纠缠。本能比一切的心绪更善于寻觅出口，他愿意让他的时间停留在最值得怀念的一刻，即使无人时，冰冷的表壳熨帖着肌肤，也会在别人看不到的地方温软滚烫。

祁善打出去的电话始终无人接听，子歉走时决绝，让她隐隐不安。而此时的子歉把车停在河堤边。人们都说这一带的夜景美得很，他和祁善也曾约在这里漫步，可惜他当时满心想着该如何让气氛更亲密融洽，风景却无心细看。

子歉总是很忙，忙着公司的事，忙着让二叔满意，忙着自己的婚姻大事，有时还要应对三叔的贪婪。扑进车窗的夜风湿润，堤边灯光浓稠，他的停靠没有意义，也毫无目的，他好像从未这样松懈疲惫。其间有依偎作一团的情侣经过，他的车停得大煞风景，惹来了两道白眼。这里离祁善家不远，她和周瓒就是在这一带长大的。子歉很难不去想象，一样的风景在他们眼里是什么样子。

子歉和周瓒打的那一架像场闹剧，而闹剧之前是荒诞剧。他坐在女友家的餐桌上，一起用餐的是他未来的岳父母，还有他同父异母的兄弟，唯独他像外人。子歉苦苦追求祁善，除了是为自己找一个合适的伴侣，让二叔满意，何尝不是想让周瓒尝尝挫败的滋味，没想到恶心了自己。周瓒的表，还有他借“叩心门”的暗示无不指向他和祁善的亲密。与其说子歉是嫉妒，不如说他是失落。二叔的关注，族谱上的名字，在公司的位置，就连祁善，没有一样完整地属于他，偏偏这还都是他努力争取的结果，谁也不能埋怨。他不怪祁善，并相信祁善真的想好好和他在一起，她以前的感情经历，换作另外一个男人，只要不是周瓒，子歉都可以视而不见，他自己也并非白纸。可若不是因为周瓒的缘故，子歉不敢保证自己会不会凭着一点好感对祁善执着多年。兜了一圈，他的矛伤了自己的盾。

手机嗡嗡地在仪表盘下振动，是祁善打来的电话。子歉在指尖触碰到手机的那一瞬又收回了手，任它一味挣扎。至少在今晚，他不想再听到她的声音。

当手机终于消停下来，子歉才把它拿在手里，今晚他没有喝醉，却鬼使神差地拨了另一个号码。第一次无人接听，第二次对方直接掐断了来电，再打过去已提示关机。他应该感到欣慰，青溪听了他的话，她不再理会一个无处投靠才想起她的男人，再也不会因为他一句话深夜匆匆赶来轻敲他的车窗。

周瓒说子歉是他生活中的入侵者，他和祁善是“我们”，子歉是“你”。子歉想起，自己和青溪也曾是“我们”。若非周瓒提起“叩心门”，子歉都快忘了青溪靠坐在酒窖的墙壁上对他说起这个传说时酡红的脸和水一样的眼眸。若他一直不知道自己的生父是谁，他会早早娶了青溪，生儿育女，把酒窖经营下去，并因此而快乐无憾。他们是命定的伴侣，亲手折损了福报。隆兄不是个好的选择，尚且能光明正大地将她收入囊中，他连隆兄也不如。

发烫的手机逐渐在掌心冷却，他不再拨出去，也没有人打进来，世界终于安静了。子歉仰靠在驾驶座上，看窗外波光树影与霓虹相映，原来这里的风景真的很美。

第三十八章

得到的才是最好

WE

Chapter Thirty-eight

“你身上到处都是沙！”周瓒含糊地抱怨，说话时舌尖又触到细小的沙砾。他几乎无从下口，然而“几乎”只是“几乎”，他还是能横下心去。鼻子的疼抵消不了身体其他的快乐，祁善在他身上盘踞如蛇，得空就要拧他的鼻子，遭到抵抗又忙于别的。她人是醒着的，眼睛却是微闭，身体很凉，气息滚烫，周瓒也头一回发现，极度的克制与放肆可以在一个人的身体里并存。

她垂下的发梢反复搔过周瓒胸口，痒得他无法消受，他腾出手来将它抓住，只得一边，另一边短一些，刚刚覆过她的下颌，“哪个半吊子发型师给你剪的头发？丑死了。”他嘴里说丑，手却缠绕着不肯放。

有一度祁善似乎神志回笼，紧要关口她喃喃问：“阿瓒，我们是不是在做坏事？这样是不对的！”

周瓒满脸通红，手指尽数插在她的发丝里，哪里容她这时反悔，又难耐她摇摆絮叨，只得绞尽脑汁地哄：“这有什么，陪练和种子选手打一百场也上不了领奖台，你把我当陪练，当试用装不就行了？试试而已，不会影响你采购别的正品，不合适你还可以扔掉。”

祁善是个讲道理的人，在酒精的驱使下她竟被周瓒的逻辑说得心服口服，根本没去想，他这样的试用装是不会有正品出售的。

第一次稀里糊涂地收场，祁善强拉周瓒同跪在23楼海景房的落地窗前，对着海天之间的半轮明月要他发誓彻底抹去这段记忆。她以为自己酒醒了，所做的补救合情合理，却未发觉两人身上什么都没穿。周瓒强忍着笑一一配合，誓言说过一遍，祁善还谨慎地求证他是不是已经忘记了。周瓒憋不住笑出声来，祁善板着脸责令他重来一次。周瓒说："我连为什么发誓都忘了，到底要忘记什么？"他捧着她的脸亲了下去，嘴里都是蜜，"是不是要忘记这件事，你再帮我回忆回忆……"

祁善醒来，她的梦被月光糊了一层，又叠着醉意和热稠的海风，还有多年来的修修补补，导致她根本没法确认到底哪一段是真实的，哪一段是虚妄的。只有周瓒才能给她答案，那她宁可把它守成谜。

厨房的"战场"早已被清扫干净。祁善昨晚回到家时，父母都在客厅等着她。电话里沈晓星已得知周瓒和子歉发生了不愉快，两个大男人还动了手，结果祁善陪周瓒去了医院。他们问打架的原因，祁善说她也不是很清楚，沈晓星满心狐疑，可是见女儿满身倦意，显然无意深谈，他们也没追问到底。

祁善下楼来，沈晓星刚把粥熬好，她在厨房里对女儿说："你爸好不容易养活的那盆红豆杉都不成样子了，昨晚跟我唠叨到半夜。阿瓒的伤要不要紧？缝了几针？"

"他没事。"还有心耍流氓的人铁定死不了，即使是口头上的。祁善低头敲着鸡蛋，半晌才问："你为什么不问问子歉怎么样了？"

"你又没说子歉也去了医院。"沈晓星把粥端上来，人也坐到桌旁，她见女儿抿嘴不语，摇头道，"人家子歉一大早打过电话来了，为昨晚的事赔不是。我问过他，他说没什么事，昨晚把手机忘在车上，要你也别担心。你啊，还没结婚呢，心就向着别人了。"

祁善咬了一口鸡蛋，味同嚼蜡，"妈，你是不是不希望我和子歉在一起？"

“我可没那么说。”

“可你是这么想的。”

沈晓星没有承认，却也没有否认，只说：“子歉这孩子是很懂事，他也不容易。不过……”

“不过他哪里比得上你的宝贝阿瓒。”祁善接下了妈妈没有说出来的话，她怎么会看不出妈妈对子歉持观望态度，心中的天平有所倾斜，否则昨天怎么可能放任周瓒登堂入室？祁善困惑，“我不明白，妈，你也说子歉不错。作为正常的家长，难道不应该盼着我找一个更可靠踏实的男人吗？你真的认为周瓒比子歉更好？”

从母亲的角度出发，沈晓星并不觉得周瓒是个称心的女婿。从前周瓒他妈妈还在时极力撮合两个孩子，沈晓星的态度也始终模棱两可。她怕的是女儿驾驭不了周瓒这样的男人，可祁善懂事以来心思就在周瓒身上，即使嘴上不说。周瓒心眼又太多，以他的心性，他若对祁善完全无意，有太多办法去摆脱一个自己不想要的人。他偏不，两人进进退退捉迷藏。藏得太深，想出来也难。沈晓星说：“不是说谁比谁好，非要在两个人里选，我看了阿瓒二十八年，他那点小心思和坏毛病在我眼里一目了然，翻不过天去。子歉经历的事多，他需要考虑的事也不少。”

“你怕子歉以后对我不好？”

“不是，我怕你后悔。”

祁善说：“他对我好，我为什么要后悔？”

沈晓星把一碗粥重重地搁在祁善面前，严厉道：“小善，我再问你一次，你老老实实回答我。你心里半点也不惦记阿瓒了？你说没有，妈妈支持你的任何决定。可你骗我的话一点意义都没有，骗自己以后苦也是你受。”

祁善盲目地用勺子搅面前的热粥，热气蒸腾直达她眼底。她努力了，也足以抽身，这还不够？“你希望看到我被他呼之即来挥之即去？为什么不去骂他反复无常？”

沈晓星恨铁不成钢，“你怎么知道我没找他？他也不是好东西，早干吗去了？你们俩就作吧，作到回不了头就踏实了！一模一样的话我对周瓒说过，对你再讲一遍。要不就睁大眼看准了往下跳，要不就闭着眼糊涂到底，两种都能好好过一辈子，最怕反过来。你们自己看着办。”

祁善想要的也不过是像爸妈一样身边有个人相伴到白头，她问：“妈，你和我爸是哪一种？”

沈晓星没想到她有此一问，剥鸡蛋的手也慢了下来，斟酌片刻才说：“我和你爸当然是细水长流的那种。”

在门口打太极拳的祁定慢悠悠地晃了进来，总是习惯于在妻子身后附和说“就是就是”的他难得唱了反调，他和女儿开玩笑，说：“你妈愿意嫁给我的时候我乐坏了，到现在做梦都要笑醒，我可不是细水长流的那一种。”祁定替妻子剥完剩下的鸡蛋，笑呵呵地说：“管他睁眼还是闭眼，要我说，得到的才是最好的。”

子歉提出想到异地分公司常驻，周启秀考虑了数天终于首肯。随着年岁日增，周启秀身体也不如前，事业上的野心渐渐消磨，他已不再把扩大公司版图和经营财富当作自己的首要目标，反而希望有更多的时间静下来，着眼于身边的人和事。他有时羡慕起留守老家的大哥，一辈子庸庸碌碌，生了三个女儿，可他们老两口相依相伴，身边总有几个外孙环绕。甚至是家里家外一塌糊涂的老三，忙于料理那些女儿和各任前妻的糟心事，倒也过得热热闹闹，大儿子子翼更是成家立业，有妻有子。这都是周启秀可望不可即的天伦。

他的两个儿子里，阿瓒多年来游离在外，从未安定，子歉任劳任怨，身份暧昧，周启秀自感对他俩都亏欠良多。尤其是子歉，不觉之间他已是周启秀身边最可依仗的人，也给予了他最多的陪伴和慰藉。可子歉性格太过内敛，行事从未失当，周启秀不能像训斥周瓒那样的父子相处模式来对待他，想关心也无所适从。这次子歉主动请缨调往分公司，周启秀其实心有不舍，只是念及子歉很少向他提出要求，能力也完全足以独当一面，周启秀犹豫再三，还是顺着孩子的心思，让他做一回自己想做的事，去历练两年也好。

子歉盼得二叔点头，既放下一桩心事，也有几分黯然。面对二叔新增的白发和疲惫里透出的老态，他几乎就要推翻自己用了很长时间才下定的决心。他只能安慰自己，分公司那边总经理带着团队跳槽，好不容易开拓的市场需要主心骨去坐镇；如果不走，他永远只是二叔身后一个模糊的影子，并会被周瓒所轻易覆盖，趁二叔现在尚有心力独撑大局，他想试着给自己找个独立喘息的空间。

和周瓒动手的那件事，子歉事后也后悔自己的冲动，周瓒故意激怒他，他竟也着了道，那或许是多年累积起来的一次爆发。子歉不会再让自己犯这样的错误，也无所谓和解，可他听二叔提起，前日把周瓒叫回来吃饭，发现周瓒手上带着伤，说是自己在家被摔碎的碗割伤了，二叔还叹息说别是在外闯祸弄伤的才好。可见包括周瓒在内，谁都没在周启秀面前提起这件事，子歉也不想再给二叔添堵。

比起周瓒的反应，子歉更在意祁善的态度。子歉负气离开后，祁善打了几个电话他也没接。等到他独自在河堤边冷静下来后，开车回到祁善家，却发现周瓒的车一直停在她家门口。子歉失落更深，祁善被周瓒花样百出的伎俩打动不是没有可能。连子歉自己在心里也默认祁善选择了自己是对过去的一种叛逃，那她回心转意又有什么稀奇？

第二天下班后祁善约子歉见面，子歉心里已做了不好的打算，只是身为男人，在这件事上无论输赢好坏都应该亲自有个了结。结果祁善一上来就解释了前晚陪周瓒去医院的事，也表明她相信子歉的为人，周瓒如果不是说了过分的话，后面的事断然不会发生。子歉就是在那个时候做出了决定，他问祁善肯不肯跟他走，虽然分公司所在地相隔不过四小时车程，但他们换个地方生活，或许能摆脱周瓒的纠缠，也摆脱从前的阴影，等到两人感情彻底稳定再回来也不迟。

祁善没有立即点头，她更多的是表现出意外。子歉也理解，祁善不像他只有二叔这个牵绊，她生长于斯，父母亲故俱在此处，任谁突然面临这种选择都会犹疑。她答应回去考虑已是不易，这是他们之间这份越往前越举步维艰的感情的一个机会。

子歉和周启秀长谈过后已到下班时间，周启秀留心到子歉看表的小动作，主动催促他早点下班。子歉去正式见过沈晓星夫妇的事周启秀已经听说，这足以证明两个孩子感情稳定。阿瓒自己不争气，周启秀无可奈何，手心手背都是肉，事已至此，他只盼着子歉和小善能过得好，心中暗想，也该找个时间约晓星他们一起出来聊聊这事了。

子歉出公司时心里并不轻松，下午三叔给他打了几通电话，还是关于公司新进项目公开招标承建方的事，他希望子歉认真考虑他朋友的公司。子歉了解过那家企业，资质勉强达标，相关施工经验为零。他断然不敢接这样的烫手山芋，推说自己最近忙于接手分公司的事，让三叔直接找二叔拿主意。

老三明知周启秀只会责骂他几句后直接拒绝，自然不肯去碰钉子，总想着从子歉这里下手。他自认为有恩于子歉，子歉免不得要承这份情，从最初的迂回暗示变作直截了当的要求，说是帮朋友一把，可那家新公司他是大股东之一，子歉早心知肚明。这些年来老三没少干这样的事，子歉左右为难，唯有权衡把关，过得去的时候他可以睁一只眼闭一只眼，但像这次这样明显过分的要求他不可能罔顾公司利益去妥协。也许等到他去往分公司，三叔才能消停，毕竟鞭长莫及，那边新市场油水淡薄，三叔也未必看在眼里。

子歉怕三叔会到公司堵他，除了招投标的事，还会继续游说他放弃去分公司的念头。他早早下了班，人没到停车场，又得知大伯父家二堂姐的儿子想要带未婚妻来见见二叔。这种事周启秀一向能免则免，多半不会出面，子歉却逃不掉，明知对方就是冲着他来打秋风，他也得腾出时间去见一面。他寄养在大伯父家多年，不能留下“忘恩负义”的罪名让人指摘。

上车前子歉试图摆脱心中的不耐，把一切当作他的本分。周瓒是不会有这样的烦恼的，他的心理界限划分得一清二楚，不想应付的事鲜少虚与委蛇，因为根本不在乎，所以心安理得。老家人络绎不绝的“探望”子歉也疲于应付，却无法置之不理。

然而这并不是尽头，更烦恼的事还在等着子歉。他一出地下停车场，就在出口处看到阿珑手捧一束花在探头探脑，看到他的车，阿珑兴奋地挥了挥手。子歉微不可闻地叹了口气，阿珑亦步亦趋，他只能在开阔处停了下来。

“不是让你别来找我了吗？”子歉沉着脸道。从谷阳山上下来后，阿珑就挑明了对他的兴趣，确切地说她从一开始就没打算掩饰，子歉一再表示自己有女朋友也无法打消她的热忱。子歉最初看在她是女孩子，又是老秦女儿的分上还好言相劝，后来实在烦不胜烦，也开始冷眼相待。

阿珑并不把他的态度放在心上，抿着嘴笑出两个大酒窝，“你自己停车的，我什么时候说过是来找你的！”她嘴上这么说，子歉一松刹车，车头才动了动，她马上软了下来，嘴一噘道：“别走啊，别走！你这人真没劲，跟你开玩笑呢。喏，给你的！”

她从半开的车窗玻璃里塞进来一把植物，顶上开的粉色花球毛茸茸的。子歉不接，支在方向盘上的手揉了揉额角，一时间也不知该说她什么好。

“我没见过女孩子给男人送花。”

阿珑说：“谁说是送，给你的。我外婆家新开的合欢花，我自己摘的，香得很，你闻闻。”

“我没兴趣。”子歉表情漠然，不止对花，对人也是如此。

阿珑好像总听不懂他的拒绝，热忱不减，“你没听说过合欢花？它的意头可好了，是恩爱好合的意思，也叫夜合欢、夫妻花。我外婆家这棵树头一回开……”

“秦珑，你不烦吗？”

“不烦呀！”

阿珑尤握着没送出去的花，愣愣道。

“可是我很烦，你除了对男人死缠烂打没别的事做？”子歉难得对女孩子说话那么直接，实在忍无可忍，她就像填缝剂一样充满他生活中每一个难得空隙，让他气都喘不上来。光这一周她已经在他面前出现了三回，子歉实在不明白老秦怎么会生出这样的女儿，“我们算是世交，我本来不想让你难堪，话已经说得够清楚了，你难道听不懂？我劝你一句，女孩应该适度矜持一些，至少我受不了你这样的。”

这番重话落在阿珑那儿总算起了作用，她的酒窝不见了，像被人责骂过的孩子，“我喜欢你就来找你，是那么大的过错？”

“一个月前你也说喜欢周瓒。”子歉冷冷地提醒。她当时对周瓒的迷恋认识的人都看在眼里，转眼又青睐于他，她的“喜欢”太不值钱。

阿珑羞愧地低头。她是长在自己编织的梦境里的姑娘，家人又宠得厉害，懂事以来她接受的灌输总是：“宝贝宝贝，你那么好，喜欢就应该得到。”她因此颇有些不谙世事的天真鲁莽。周瓒是阿珑在现实中喜欢上的第一个异性，原因很简单，他长得好，会玩又有趣，几乎贴合了阿珑所有的少女幻想。碍于周瓒捉摸不定的个性，阿珑始终对他如雾里看花，她爱上的既是他的躯壳，也是自己勾画的爱情想象。这一切终止于周瓒将她推入泳池之中，她徒劳挣扎时最难忘的是他带笑的模样，仍是让她怦然心动的眉眼身形，却绝不是她想象中的那个人。她初恋的梦境当场粉碎，然而子歉出现了。

阿珑以前也认识子歉，他常在周启秀身边，与阿珑碰面的机会更甚于周瓒。他并不是阿珑一开始会钟情的类型，太无趣，又严肃。论年纪子歉只比周瓒大一两岁，在心理上阿珑却没把他看成同辈人。那天子歉将阿珑捞出泳池，他手臂坚强有力，胸膛温暖宽厚，话不多足以安抚她的惊惶，他成了阿珑的英雄，从天而降。那一刻阿珑就已忘了周瓒，甚至已原谅了周瓒，没有他，她怎么能知道原来子歉是那么好？她从前对周瓒的执着也成了爱上子歉的铺垫，一切都是最好的安排。几番接触下来，子歉的一举一动都让阿珑认定自己这一次没有看错。子歉有他的魅力，又远比周瓒沉稳靠谱，就连带大她的老保姆都说这是值得她托付的人，阿珑因此更势在必得。

“我不是花痴！”阿珑眼睛一红，她做好了百折不挠的心理准备，可子歉以前最多是躲着她、冷着她，从未像今天这样恶语伤人，还专挑她的痛处下手，“难道我喜欢过别人，就没有再重新爱上的资格！”

子歉无心再听她倾诉，示意她松开搭在车窗上的手，“我还有事，你走吧。”

“不行，我还没说完。”阿珑想去拉子歉的车门与他理论，然而车已缓缓开动，她的小姐脾气也上来了，跺脚追了几步，“周子歉，你敢走！我哪里配不上你？”

子歉最近本来心里就有事，听她耍横，更是烦躁火起。他配不上她，可她在周瓒面前未必敢如此张狂。他容忍并不代表没有底线。阿珑还在用力拍打车门车窗，子歉心一横，踩了一脚油门想要摆脱。外面一声惊呼传来，他也发觉不大对劲，赶紧停车下来查看，阿珑已重重摔倒在地，手还紧抓着车门把手，那把合欢花已被揉得花残叶败。

第三十九章

我要的不是你

WE

Chapter Thirty-nine

上班时间，祁善刚忙过一阵，发现展菲给她发来一封电邮，标题取得十分惊悚——“全世界十亿人都说准的心理测试，不试试你会终生后悔”，后面跟着若干个感叹号。展菲总是喜欢弄这些莫名其妙的东西，祁善闲着也是闲着，点进去看了看。正文里所谓的心理测试不过是十道简单的提问，诸如“你最喜欢的亲吻方式”“最想和你爱的人去什么地方”之类，没意思得很。

祁善用了三分钟回答完毕，点击“提交问卷”。她对测试结果也不怎么期待，无非是“ABCDE”几种类型，每一种都模棱两可，充分体现了心理学上的“巴纳姆效应”，往任何人身上套都毫不违和。

页面刷了一会进度条，忽然有一个弹窗跳出来，上面显示：刚才的测试结果已成功发至您所爱之人的邮箱。

祁善顿时坐直了，心里纳闷至极。她什么时候填写了对方的邮箱，莫非是展菲事先做好的设定？很快她冷静了下来，认为这不可能，除非电脑里藏了一个鬼。她关闭测试页面，又一个弹窗出现，“以下才是本测试的结果：刚才第一时间出现在您脑海里那个邮箱的主人，就是您所爱之人。”紧接着页面上冒出许多粉色的爱心泡泡。

爱个鬼！祁善虚惊一场，这个心理测试，或者说是恶作剧实在太无聊了。根本就不准，而且还可笑。她删了邮件，又转到垃圾箱将它彻底清除，尽管如此，心里仍有一种被人戏耍窥探的不悦。

距离中午下班还有几分钟，展菲兴冲冲地跑进祁善的办公室，问：“祁善姐，那个心理测试你做了吗？我觉得超超超准！”

祁善说："下次不许给我发这些东西了。"

她没有和展菲一起叫外卖，自己去学校食堂吃午饭。刚走出图书馆大楼，那种"见鬼了"的感觉再度浮了上来。周瓒站在花圃旁摆弄手机，这次他没有开车。两人视线交会，祁善谨慎地问："又来找展菲？"

"找你。"周瓒晃了晃手机，"正好，我刚想给你打电话。"

"有事？"祁善脚步不停。

周瓒问："你急什么？"

"我去打饭，再迟就得排队了。"

"一起吧，我也空着肚子来的。"

周瓒跟了上去，祁善发现他今天全没有平时的吊儿郎当，说话的语气正经平和，倒像是从前有心事的模样。

"到底什么事，你直接说好了。"祁善转身问他。四号食堂就在图书馆附近，祁善经常在这里解决午餐，虽不是教工专用餐厅，但往来的人里也多有熟悉面孔，祁善已看到一个流通部的同事和两个常打照面的学生投来感兴趣的目光。她同样不认为以周瓒的挑剔胃口还能是专程来吃大锅饭的。

"听说你要走。"周瓒也没有半句废话。

这个问题果然令祁善陷入了沉默。她昨天才和主管人事的副馆长有过一次私下谈话。副馆长是沈晓星的学妹，平时对祁善诸多照顾，人也和蔼理性。祁善只是询问了一下借调邻市合作院校图书馆的可能性，副院长劝她三思。祁善尽管缺少职务上的进取心，但在专业水准上无可挑剔，对待分内工作也兢兢业业，在收纳了不少领导家属的图书馆里，她是近年来有价值的学术论文最大的贡献者之一，于公于私领导都不希望她有离开的想法。

这件事沈晓星也知情，她不鼓励也不阻挠，还答应了祁善暂时不对其他人透露。是阿秀叔叔从副馆长那里听到的风声？他也是老校友聚会的常客。又或者是展菲？她的消息总是最灵通。祁善并非刻意偷偷摸摸，只是她还没有最后做决定，不想节外生枝，谁知道周瓒那么快就嗅到动静。

既然如此，祁善也不回避，她说：“是有这个想法。”

周瓒看她的眼神像看一个疯子，“上大学那会你考了那样的分数也没想过往外地跑，现在为了周子歉你居然要到一个人生地不熟的地方去，连家人和工作都不顾了？”

祁善撇开脸，这也是她犹豫的所在。她享受她所习惯的生活，留恋于现状，更何况父母年纪渐长，只有她这一个女儿。子歉盼她点头，她也想过和他离开才是维持两人感情最好的办法，但她实在很难割舍一切说走就走，再三考虑，也迟迟给不了子歉一个答复。

“是谁说自己没有鸿鹄之志，做一只安于巢穴的燕雀就很好？一把年纪又做起远走高飞的梦来。”周瓒听她承认，即使早有心理准备，还是气得管不住自己的嘴。

“燕雀也是需要有个伴的。”祁善任凭周瓒损她。她不求周瓒能理解，他是自在逍遥的人，偶有歇脚，想走就走，从无守巢的概念，也不知独自过冬的孤寒，却认定她就该一直留在原地。

“你的爱情那么伟大，干脆双双殉情得了，没准还能化蝶。”她越平淡以对，周瓒就越急火攻心，“说话呀，你哑巴了？”

“我等你先说完，怎么痛快怎么来。”祁善木然看着他身后的操场，“我没什么可说的。”

“祁善，是不是只要有个男人看得上你，撩你几回，你就什么都肯答应，哪里都肯跟他去？”周瓒冷笑着宣泄他的恶毒，“你想男人想疯了吧？”

他看到祁善半垂眼睑一言不发，只有呼吸变深，也只得三两下，很快又平静如常。她在忍耐他，就像每一次两人争吵时那样。周瓒也不知道自己为什么越在乎一个人，就越忍不住要去刺伤她。他为了守住自己的心，宁愿看她难过，可是看到她难过的样子，他好像更守不住那颗心。

祁善现在的样子让周瓒想起八年前她痛哭过后的那一幕，那次她也是出奇的平静，后来她扯碎了菩提珠串，再也没把他当成自己的另一半。自从想通了自己的心思，周瓒已经努力改变他在祁善面前爱面子，一受挫就破罐子破摔口不对心的坏毛病。她不再是他世界里铁定的一部分，总是原谅他的自在撒野，肆意妄为。他怕她会走，恐惧是最大的心魔。

他没了下文，祁善又等了一会，“说完了？那我去打饭了。”

“小善，你要我怎么样？”周瓒走投无路，轻声道，“如果我说我是……是……是爱你的，你信吗？”

他逼急了还真是什么话都说得出来。祁善手里还端着空饭盒，眼里也是空荡荡的。

“先问你自己信不信。”

周瓒过去是不信的。爱太虚无了，他抗拒与之相关的一切定义。他可以娶她，可以为她改变，那是他想占有。祁善拎着输液瓶陪周瓒去上厕所时，他还在对她洗脑，说什么欲望和依赖他都具备。在那个封闭而尴尬的空间里，他背对着她，忽然把自己绕了进去：欲望和依赖加在一起难道还不是爱吗？爱就爱，有什么大不了，她要的他都有，都舍得给。

周瓒像戳破了一个魔咒，假装没发觉耳根的热烫，接下来的话说得就更有底气了。

“如果说你什么都没发觉，那你就是不折不扣的骗子！”周瓒的手一握紧，还没好透的伤处又开始有知觉，提醒他长痛不如短痛，今天必须要把话彻底说清楚，“你不可能只把我当成朋友。如果是那样你不会把我妈送的玉戴在身上，那天晚上也不会喝我灌的酒，你心里比谁都明白。祁善，你真心想和周子歉在一起何苦拖到快三十岁？你等的不是他。”

他真自私，他也知道她快三十岁，有记忆以来她就在他身边，他心知肚明，还任由她虚掷年华。这就是他的“爱”，从无慈悲。

四号食堂前已有不少师生刻意放慢了脚步。祁善单手遮在眼前，手心触及之处冰凉濡湿。她说：“你错了周瓒，我早就不等你了，也不会和你在一起。”

“哭了？”周瓒困惑地去掀祁善的手。他从来不信祁善会爱上除了他以外的人，她此时的眼泪也无异于默认，“为什么？”

祁善哽咽道：“因为我要的是一个稳定的伴侣，一段稳定的关系……不是你！”

“稳定？”周瓒像听不懂一样茫然地重复。

他或许爱她，祁善愿意相信。然而爱又如何？他多情善变又无所顾忌。祁善怕了，他这样的男人或许是陌生人的福音，却是爱侣的噩梦。他像一只张扬夺目的风筝，天性逍遥。她手里牵着线，风筝再美，飞得再高，人人都夸，有什么用？不管风从哪个方向吹，他不在身边，她有的只是那根线。

“我想要一个用不着猜他哪一句才是真心话的男人，他不会前一分钟哄着我，转头说走就走，一言不合就出口伤人。我也不想为一段感情担惊受怕，一觉醒来不知道他去了哪里，分不清自己到底是他的第几任。稳定就是正正经经地对我好，爱就坦坦荡荡地说出来。你做不到。”

祁善不再自欺欺人，这么多年她都忙于救火，每发现一点火种，她便立即以十倍的惊惶试图扑灭，不料四处星火，她只能弃之逃离，任身后烈火燎原，总有烧尽的一天。

她说完，周瓒有片刻出神。眼看身边有更多的人竖起耳朵，祁善也不打算扎进人头攒动的食堂里，再讨论下去没有任何意义。

“祁善！”周瓒在身后叫住祁善，他让她这么走，以后就彻底悬了。他上了两级台阶，站在四号食堂门口的制高点，大声道：“你不也从来没说出你的心思？我一直爱你，你满意了？有种你说句话啊，你要的坦荡在哪里？”

祁善站定了，却没有回头。她知道所有关于爱的生物学和哲学原理，也许还能把上百个爱情典故用三种语言说出来，但这么多年唯独说不出一句爱他。最简单的事，也是最难的事，有多难，含在嘴里灼烧着，哽在喉间呼吸不得。但都比不过说出来后，他走了，没了，连藏在友情背后一日过一日的侥幸都不存在。

周瓒等不及，绕到她面前，发现她弯下腰哭泣。

“是，我也爱你，我还是管不好自己。所以我更受不了，也不敢……你不是我要找的人，我受不了你！”

她没有再遮着脸，哭相实在不敢恭维。这还是祁善身为小女孩时最无所顾忌的哭法，周瓒不止一次嘲笑她这个样子最丑了，像扁嘴的鱼。祁善懂得爱美以后就刻意纠正过来。他总是挑剔她，大笑也说难看，皱眉也被奚落。她一边成长，一边学着把情绪收在心里，这样他该不会嫌弃了吧？她愁死了，乐翻了，脸上也丝毫显不出来。

她为什么要在乎他的感受呢？她曾是他的，他却从不是她的。

“你看，那是不是祁老师？”

“和男朋友吵架了！”

“真看不出来。”

“可不是吗？这也吵得够凶的。”

……

看热闹的人远远近近地站着，周瓒并不在意别人的眼光。他和祁善在花圃边的木栈道上，他低头，脚边有个被磨平了的树瘤，像长在心里的一只眼在无声窥探他的慌张。他上前一步，把“眼睛”踩在脚下。他想，人人都渴望爱，他那对成了怨偶的父母也不否认当初爱着时有过心动和快乐。祁善终于承认爱他，却用最痛苦的方式哭泣，好的爱不该是这样。

第四十章

最多情的无情

WE

Chapter Forty

典藏部和流通部的同事聚餐，大家一块去吃火锅，热热闹闹围了一桌。祁善听身边的老大姐抱怨现在的图书质量太差，她不住地点头，手里搅着调料。

坐在另一边的展菲忽然用手肘顶了顶祁善，她的手机也挪到了祁善的大腿上，努了努嘴，示意祁善看上面的内容。

祁善低头，那是本地知名网站的一则娱乐新闻，大致意思是女星晏亭回原籍探亲之余不忘夜店买醉，深夜与男子姿态亲密返回酒店。下面还配了四张图片，新闻里的女主角寻常打扮，戴着黑框眼镜。第一张是她与男子相拥出了酒吧；第二张被拍到他俩上了同一辆车，勉强可以看出是朱燕婷坐在副驾驶座；第三张和第四张分别是两人前后脚进入酒店大堂的背影。拍照的距离不近，只有第一张照片较为清晰地拍到了男人的半张脸，后面的几张只能从身材和衣着上证明是同一个人。

“像不像？”展菲趁老大姐去涮肉，用唇语对祁善说。

祁善用手指轻轻滑动手机屏幕，那几张照片交替着出现在眼前。这只不过是习惯性的动作，就算是最模糊的第四张背影她都能一眼看出是他。那是熟悉如身体发肤的人，他走路的姿态，用左手中指钩住车钥匙的习惯，身上那件纯色白 T 恤是她妈妈买的，他两件，祁善爸爸两件，化成灰也不会认错。更何况他们走出来的酒吧显然是隆兄开的新店，那辆车牌被打了马赛克的 G500 也是周瓒最近常开的，车头挂的沉香平安牌是祁善亲手打的络子。

有男同事高声说了个段子，换来大家一阵哄笑。祁善也被逗乐了，在如热锅沸腾的喧哗与蒸腾的白汽中抿着嘴笑。她把手机还给展菲，点头“嗯”

了一声。

这表示她知道了，是他。除此之外还有什么可说的？他的前 N 任和数不清的暧昧对象应该都能认得出来。这对他来说也不是出奇的事，只不过女方的身份正好比较引人关注。

“三线女演员，有什么了不起？指不定是哪个饭局上认识的。”展菲鄙夷道，“我看过这个晏亭没整容以前的照片，一脸刻薄相，还比不上你呢。”

“她以前就很漂亮。”祁善不让展菲胡说八道，她过去也比不上朱燕婷，遑论现在，“她是周瓒第一个女朋友。”

聚餐结束祁善没有去第二场，她自己打车回家。子歉最近惹上了麻烦事，他竟然在公司停车场附近把阿珑给刮蹭倒地。阿珑已经住院一周了，听说腿上伤得不轻，为这事老秦对周启秀发了脾气，子歉难辞其咎，这几天下了班都得去医院看阿珑。

虽然见不了面，但子歉几乎每晚都会给祁善打个电话，两人说说一天里遇到的事。子歉心中郁结，也怕祁善多心，祁善反而要开解他，事有轻重缓急，让他先解决当前的难题，毕竟阿珑实实在在地因他伤了皮肉。

这几天祁善心里想的是自己究竟要不要去看望阿珑。她们也算点头之交，阿珑一口一个“祁善姐”地叫着，她受伤是子歉的责任，祁善又是子歉公开的女朋友，于情于理该去露个面。可祁善本能地意识到阿珑未必愿意见到自己，她最近对子歉的热情祁善焉能不知？要说一点不介意也不可能，只是对方卧病在床，祁善不想在这个时候落下示威之嫌。

为这事祁善征询过子歉的意思，子歉沉吟后，说尊重祁善的想法，她来不来都可以。祁善无奈，她和子歉都是心思太重的人，思虑过多，主意拿得谨慎反成了障碍。要是以前祁善宁可听听周瓒的意思，他会说很多不好听的话，但最后势必会给出一个立场。只是她现在和周瓒哪里还能平心静气地交流，那天他走后两人再无联络，恐怕都做了老死不相往来的打算。

周瓒是下午发现自己上了新闻的，他醒来时朱燕婷敷着面膜在看大图，发现他坐起来，将电脑屏幕转向他，脸上似笑似嗔，“你害死我了，还忙坏了壮壮。”

壮壮是朱燕婷那个长得像小鸡仔一样的经纪人。周瓒靠在床头，捋着头发看她说的东西。过了一会笑道：“谁害谁，我让你喝那么多？说是陪我解闷，光看到你和隆兄对灌了。”

他们都没想到凌晨两点多还有人偷拍。周瓒散漫地下床，“这证明你红了，最近不是有新剧要上？不用给我宣传费。”

“想得美！”他进了洗手间，朱燕婷倚在关闭的玻璃门上，问，“你难道一点也不怕被人认出来？”

周瓒的声音从里面传出，“我怕谁？最多老头子骂两句，又不是伤天害理的事。”

“祁善呢？”朱燕婷哪壶不开提哪壶。

“她？跟她有什么关系？”周瓒话里听不出情绪，“在她眼里我本来就是这样的人。”

“我当年说过你们成不了，果然没说错！成不了才好。你们不是连对方身上有几根毫毛都知道吗？偏偏最要紧的心事成了糊涂账，想想就好笑。”

“风凉话谁不会说？”

朱燕婷涂了深色甲油的手指勾画玻璃门上的几何纹路，“真心话也有——你昨晚上问我女人是怎么想的。女人天真犯傻也看年纪，你以为什么时候都能哄得人团团转。她最想听你说那个字的时候你尽装傻。再合胃口的饭菜能看不能动，她去别的地方填饱肚子，你现在又非要喂她吃下去，对不起，味道馊了。换我也不信，只是她比我心狠，说不吃就不吃！”

“你落井下石，还不够狠？”周瓒开门，一脸湿漉漉的。

“昨晚上我没有说梦话吧？”朱燕婷按压着脸上的面膜。

“怎么没说？”在朱燕婷的追问声里，周瓒促狭道，“你哭着喊着说要嫁给我，这怎么办！”

他满脸是不正经的笑，还以为朱燕婷会呸他，没想到她只是对他瞟来一眼，平淡道：“哦，那你娶吗？”

周瓒一愣，手随即搭在朱燕婷肩上，“好啊，那我们这就去找壮壮发结婚声明，让我再沾沾你的光。”

“屁话！你明知道我不可能那么做，才说得痛快。”他的手上还带着水珠，蹭湿了朱燕婷的真丝睡袍。

周瓒挑眉，“我哪娶得起你。”

“那是当然。”朱燕婷晃开他，“连一个图书管理员都不要你，我丢不起那个人！”

周瓒本想说，图书管理员在很多时候都是终极大BOSS，可再耍这些贫嘴似乎很没劲，什么都没劲，顺带笑容都很无所谓。朱燕婷给他递了根烟，他摇头拒绝。他已经没有瘾了，偶尔抽也是在祁善面前。引得她心痒痒的，又不给她，祁善因此更认定烟不是什么好东西，每次看见都会念叨，然后密集监督他一阵，导致他总戒不彻底。

他想到他们拉锯的这些年，祁善对他而言意义太过复杂，他需要把她恒定地留在身边，害怕任何一种不确定的存在来打扰，哪怕是爱情。而祁善要的是最平凡的真心，最世俗的伴侣。

“我和她心病不一样，下药没看准时机。”周瓒说。

朱燕婷补了一刀，“说白了，你俩都有病，又吃错了药。”

周瓒也不生气，他从朱燕婷身侧穿过，坐在榻上穿鞋，扯开话题，“你该换个酒店了，这床太软，睡得我腰疼。”

“比我还软？”朱燕婷媚眼如丝。

他笑了起来，明明半滴酒也没喝，眼尾上挑的一双眼似醉非醉，“你比它好太多了，可惜醉得厉害，没法睡！”

“少给我装，趁火打劫的事你做得还少？隆兄都跟我说了。”朱燕婷拧了他一把。

“我手重，你皮娇肉贵，一不留神让你的大导演看出痕迹，害你丢了下部戏怎么过意得去。”周瓒依旧笑嘻嘻的，教人牙痒又狠不下心，“我找朋友给那家网站负责人通个气，你让壮壮也公关一下，需要意思的地方算我头上。谁让你为了陪我喝成那样，难怪说情人还是老的好。”

“再好你也没要。”朱燕婷自我解嘲。她想起昨晚，她醉了，他还滴酒未沾，一直以来都是这样，她从前也为这个恨他，他含笑在她身旁，是最多情的无情。谁过得容易，他只是在一个女人那里受了他应受的罪，可她呢，毫无背景在娱乐圈摸爬滚打，从一个龙套变成新剧女一号，改了年龄，动了骨头，该付出的代价一点也没有少，还要和比自己小十岁的新人竞争，被嘲笑至今没有上过电影。他或许都知道，还夸她刚勾上的文艺片导演戏拍得好。

朱燕婷本想让周瓒滚的，可她只是一杯又一杯地在他面前喝酒，非要他把自己送回酒店。结果他倒在她床上，非说自己困死了，什么都做不了，一根手指头都不肯动，却有力气发牢骚。他说他恨不得祁善马上走，早走早踏实，女人真他妈麻烦，如果爱他是那么倒霉的事，她想跟谁在一起他都成全她。

这样的周瓒是朱燕婷感到陌生的。爱一个人时别人把他的心掏出来，他疼也说不疼。不爱的人把心掏给他，他看见也当眼瞎。

“我早看不上你了。”朱燕婷双手环抱胸前，“我认识的人里，长得比你好一百倍的也有，更别说比你有钱有才的了。幸亏当初没和你在一起我才有今天。”

“是谁以前哭着说要爱我到死的那一天。”周瓒笑着叹了口气，他穿好鞋子站了起来，俯身抱了朱燕婷，“晚上的飞机，我就不去送你了。”

朱燕婷嫌弃地推他的肩膀，手落在他背上，轻得像羽毛，“谁稀罕你送。告诉你一个秘密：我讨厌祁善，别让她称心如意找到好男人。你快去祸害她吧，看你们相互折腾，我心里才高兴！”

“高兴就好，你笑起来好看。”周瓒摸摸她的头发，“我只是你的观众，你一定站得比我们都高，让人仰起头看。等到我们老了，你还会很美，说不定拿了影后，我这个前男友脸上也有光。”

敷着面膜的脸看不出熬夜的细纹和眼角的湿痕，朱燕婷放任自己把下巴搁在他的肩膀，再一次，最后一次！她喉咙里有微不可闻的气息声，指甲掐着他的肉，“别跟我来这套。我忘不了你，是因为你在我最灰头土脸的时候陪过我一段。可我盼着你早一天发际线变高，有肚腩更好。周瓒，到时你最后一点值得我怀念的影子也不存在了，祁善看到你变成那个样子，也会活得更踏实。”

周启秀从外面回到公司，子歉坐在沙发上等候。见他走进办公室，子歉也站了起来，喊了声“二叔”，只有眼神在无声地询问。

子歉知道二叔刚去见了老秦。老秦不肯相信子歉弄伤阿珑只是意外，面对子歉的赔罪他始终一言不发，周启秀送去“聊表心意”的补偿统统被司机送了回来，连医疗费用也没让周家插手。可阿珑护着子歉，一口咬定是自己不小心，还非要子歉去医院陪着她才肯消停。老秦没给子歉好脸，却默许了他出现在女儿跟前。

阿珑的伤没什么大碍，子歉往医院也跑了一周，这次老秦亲自邀周启秀和几个老朋友聚聚，谁都知道这绝不仅仅是为了喝茶而已。果然，闲话不过片刻，就有人笑言阿珑和周家有缘，又劝老秦放宽心，女大不中留，现在年代不同了，孩子找个称心的最重要。紧跟着又有人夸起了子歉的品貌和能力，说他比周瓒不知道强了多少倍，还力主既然都是周启秀的亲骨肉，家族里也已默认了子歉的身份，就应该让子歉成为周启秀光明正大的儿子。

周启秀连称“惭愧”，实则头大如斗。他怎么也想不通，老秦家的这个女儿偏跟他的儿子对上了，之前是阿瓒，好不容易让事情过去，气还没喘过来，子歉又惹了麻烦上身。别人都说他膝下两个孩子皆英英玉立，品貌出众，他一度引以为傲，现在看来这哪里是什么好事，反成了烦恼的根源。

看老秦的意思，竟是连子歉暧昧的身份也可以忽略了。他素来溺爱女儿，什么都顺着阿珑，有心成全她的心思。可除此之外未必没有更深的缘由。老秦和周启秀这几年牵扯太深，子女联姻必然将两家的绳子彻底绑牢，万一前路不妙，除了共同进退再无别的选择。

周启秀这几年已有从老秦的关系网中逐渐抽身的打算，再去蹚这浑水并非他心中所愿。可是他已经拒绝老秦一次，这一次老秦再度松口，他若还是拂了这番“垂爱”，和当众打老秦的耳光没有分别，谁也丢不起这个脸。周启秀只能在人前笑言："孩子大了，由他们去。我是巴不得有这个福气。"

他把话说到这个份上也算表了态，他乐观其成，子歉打死不愿意，老秦也没法子绑着他进洞房。周启秀打算让子歉尽快到分公司去，他和祁善两情相悦，到时木已成舟，阿珑也不会在一棵树上吊死。至于周启秀他自己这些年也把身外事看得淡了，老秦恼他，横竖他这把老骨头奉陪到底。

子歉从周启秀的郁郁神色中看出端倪，他想跟周启秀一起去的，一人做事一人当。是周启秀没让。周启秀心里总把周瓒看成长不大的孩子，子歉太让他省心，令他几乎忘了，子歉也只是一个年轻人，有血有肉有气性。周启秀不愿他承担更多不属于他的包袱。

"你啊，阿瓒混账，你是糊涂。"周启秀坐到沙发上，像个真正的父亲般责骂子歉。

子歉从没有像此刻一样为自己一时头脑发昏踩的那脚油门而后悔，他那天仿佛中了邪。他半跪在周启秀身边，肩膀下沉，黯然道："我错了，二叔。"

"你说阿珑这孩子……唉！"周启秀年轻时也是一身风流债的人，女孩的追逐和仰慕他并不陌生，树欲静而风不止，他也没办法苛责子歉，只是感叹造化弄人。"小善愿意的话，你们的事尽快定下来。我明天陪你去你祁叔叔家里走一趟。"

"可是……"

周启秀面色放柔，"没什么可是的，感情的事勉强不来。我不会逼阿瓒做他不愿意的事，同样也不会让你拿终身幸福做赌注。"

第四十一章

没有魂魄的自由

WE

Chapter Forty-one

子歉去了医院。秦家的老保姆打电话来诉苦，说他两天不露面，阿珑闷闷不乐，从今天早上到中午只喝了一勺粥就说饱了，谁劝都不管用，这样下去伤怎么能好。

她一日不痊愈，他一日不得解脱。

阿珑所在的 VIP 病房远没有子歉所想的那么冷清。床前围了几个人，除了尽心尽责的老保姆，陈洁洁也坐在床边。更让子歉意想不到的是，站在床头柜旁修剪花枝的人竟是祁善。

“你……来了。”子歉把阿珑指明要买的蛋糕放下，眼睛看着祁善。

祁善回头朝他笑笑。

阿珑嗔道：“祁善姐怎么不能来看我了？”

祁善昨天在陈洁洁的花艺店订了一束鲜花，托陈洁洁向阿珑转达问候之意。这是她想到的折中法子，陈洁洁欣然应允。谁知阿珑今早收到了花立即给祁善打电话，除了道谢，一个劲说：“祁善姐你为什么不来看我？我腿动不了，躺在床上快闷死了。是不是因为我爸骂了子歉你不高兴？”

正赶上周末，祁善再推托反显得小气。她刚到，话还没说上几句，子歉也来了。

子歉和陈洁洁打招呼，问了阿珑今天的医嘱。老保姆极有眼力见地把鸡肉粥又端了上来，阿珑扑闪着大眼睛看子歉，吃进嘴里的任何东西都是甜美的味道。

“周子歉你真偏心，一进来光知道跟祁善姐说话，现在又老看着她。她都是你女朋友了，平时陪她还不够？”阿珑想到什么就说什么，子歉的注意力完全不在她身上让她有些受不了。

陈洁洁正在给阿珑的手涂指甲油。子歉站在几步开外，阿珑心跳加速，手也忍不住动来动去，害得陈洁洁的指甲油涂偏了。她奚落阿珑，“你也知道那是人家的女朋友！”

阿珑咽下一口粥，说：“祁善姐好，我没话说。我不服气的是周子歉这家伙搪塞我的态度。”

“少胡说八道，粥还塞不住你的嘴？”子歉面沉如水。

“本来就是嘛！”阿珑推开保姆拿着勺子的手，赌气道，“你怪我以前看上过周瓒，我连话都没跟周瓒说过几句。祁善姐还和周瓒好过呢，你都可以不计较，分明是……”

陈洁洁最先反应过来，将指甲油的小瓶重重放在床头柜上，呵斥道：“秦珑，说话要经过脑子！”

“这话在我心里憋了好久。我喜欢我就要说出来，他不喜欢我为什么不给一个好理由。再说，都什么年代了，已经过去的事怎么不能说？”

“祁善和周瓒那叫发小，是好朋友。你不是小孩子了，不许你乱说话！”

陈洁洁没被她这个表妹气死，迟早也被吓死。

“他们上大学的时候就在三亚好过，我小舅舅亲眼看到他们抱在一块亲个没完。你们尽管骂我吧，但我从来不说谎话！”阿珑双手撑着把身体立起来，好让自己底气更足，忽然眼睛一亮，指着门口道，“哪，小舅舅来了，不信你们问他……”

隆兄张口结舌地立在门洞下。他不该来这是非地，人还没站稳就被淋了一头狗血。病房里静得教人心慌，虽不是每双眼睛都在看他，可那尴尬让他这本是局外的人也如芒在背。他后悔自己的大嘴巴了，前天看阿珑打不通周子歉的电话委屈落泪，他心一热安慰了几句，话赶话地让阿珑听出了端倪。

隆兄心虚地望向自己身后，周瓒一把推开他，“你又不是门神。”

“人齐了，我最喜欢热闹。”阿珑孩子似的拍手。

周瓒并未去看被钉在原处似的祁善，他对阿珑冷笑，“你还没死呢，找那么多人凑一起开追悼会？医生准许几个人同时探病？也不怕吵到隔壁病房！”

陈洁洁立刻接话：“说得是，人多了不利于静养。祁善我们先走吧，你不是说等下还有事？”

“嗯。”祁善背了包，几步走到门外，末了，又回头对阿珑说，“早日康复。”

陈洁洁仍在收拾她的东西。周瓒回头，门外已没有人，他的手在裤子口袋里紧抓着车钥匙。子歉已跟了出去，周瓒没有动。

隆兄看到陈洁洁站了起来，忙跟着说：“阿珑啊，你是应该多休息休息，我也先走了啊！”

“你走什么？”周瓒似笑非笑地拦住隆兄，“你不多给外甥女编几个睡前故事，她睡得着才怪！”

祁善站在路边拦车，子歉叫了她一声，“你去哪？我送你。”

“怎么你也跟出来了？”祁善有些意外。

子歉低头审视祁善的脸，忽道：“我不会相信秦珑的话，你也不要放心上。”

祁善沉默。早在阿珑缠着要她来，她心里已有预设，总不会只是把她叫来闲话插花。所以当阿珑摊牌，祁善有过惊讶和尴尬，现在反而平静了许多。她和周瓒的旧事埋藏多年，两个人的秘密是上帝的秘密，三个人的秘密是所有人的秘密。

“她说的是真的。对不起。”祁善抠着包带上的金属环扣，心一横对子歉说道。

祁善不想欺骗子歉，哪怕这种事她打死不认，别人也毫无办法。可她先过不了自己那一关，如果他们还要做夫妻，这是最起码的坦诚。那件事发生在她和子歉的关系之前，祁善不愿回想，却也没将它视作人生的污点。子歉可以选择接受或不接受，那都是她经历的一部分，无法改变。祁善说“对不起”，是因为她应该在阿珑说破之前对子歉告知，而不是为那件事本身而抱歉。

“我前天在家里见到周瓒。他手上的伤，我向他道歉了。他也承认手表和‘叩心门’的事是他恶作剧。祁善，你不是那样的人！”子歉的声音混合于马路边的嘈杂里，像从很远的地方传来，烟雾般撞上任何实质都会消散于无形。

“叩心门？”祁善困惑于这个陌生的名词，她的手在子歉提到周瓒时有轻微的瑟缩，一次睁眼闭眼的交替后，她轻道：“是在那年三亚时的事，我喝多了……后来就再也没有。子歉，我爱过周瓒，但这些年绝无逾越。你介意，我无话可说。可只要你点头，我愿意跟你离开。我会做个好妻子。”

子歉许久都没有说话，他的手机却一响再响。他终于接了，挂断电话之后，他对祁善说：“是秦珑，我上去看看她。”

每次换药阿珑都鬼哭狼嚎，子歉去而复返，她眼角的泪里带了一抹笑意。陈洁洁走后，周瓒和隆兄也没影了，这本是阿珑的午休时间，老保姆拜托子歉照应一会阿珑，自己坐隆兄的车回家熬汤。

偌大的病房里只剩下阿珑和子歉。他把床头摇至她舒适的角度，阿珑撒娇，指着老保姆临走前热好的粥对子歉说：“我饿了，你喂我好不好？”

子歉说：“你自己有手。”

阿珑等了一会，确定他不会松动，赌气似的往自己嘴里送了一大勺粥，“不想理我也行，你帮我把花剪短了插在瓶里，反正你得等到我阿姨回来了才能走。花也是祁善送的！”

祁善原本托陈洁洁捎来的是一束马蹄莲，阿珑房间里还有她喜欢的合欢花，是一大早老秦让司机新剪了送过来的。阿珑想把它们插在一处，两种花材相互搭配，须做修剪才能好看。

“我不懂这些。”子歉冷淡道。

“把合欢花的枝条剪短你总该会吧？”阿珑注视着他，半点睡意也无。

子歉站了一会，拿起剪刀。与其和她静对，他宁愿处理那些花花草草。

午后的病房一片静谧，他人站在日光与阴影交接之处，单手拿了枝花不知如何下手，一向表情冷硬的脸因那一分困惑而显出了柔和。阿珑平心静气地看，她以前怎么会认为子歉不如周瓒好看，周瓒是可使人麻醉的曼陀罗，浑身有毒，子歉才像可供她依靠的树，笔直坚忍，郁郁青葱。

“哎呀！”阿珑轻唤一声。刚剪好第一枝花的子歉看到她表情痛苦的脸，忙近身查看。

“又怎么回事？”

“我伤口又痒又疼！”

阿珑的膝盖骨有裂伤，腿也因为与地面的摩擦脱了一大块皮。子歉怕的是她骨伤留下后遗症，自己罪孽更深，医生含糊其词，谁也不敢大意。听见她说只是擦伤处的不适，他的心顿时放下大半。

“伤口长肉是这样的，你别乱动，忍着点。”

因他俯身看她伤腿，阿珑得以凑近细看他们家男人都有的长睫直鼻。她若能有个孩子长得像他该有多好。阿珑前一秒还觉得自己也是孩子，转头就幻想自己成了孩子她妈。

“你在我就能忍！”她由衷道。

在子歉眼里她谎报军情却有戏弄之嫌。他面色冷淡尤胜以往，一个字也不想在她身上浪费。

阿珑受不了这份嫌恶，脱口而出：“你生气了，是因为我说祁善姐和周瓒的事吗？我是不是很坏？”

子歉心中早就有股无处宣泄的愤怒，正被他的理性苦苦压制，阿珑不提这事还好，一听到那两个名字，再对上阿珑貌似无辜的脸……此时此刻只能困在这病房里修剪花枝的自己多么可笑，他转身背对她，手上那枝合欢花也被一把掷在地上。

阿珑咬着下唇，强行起身，拖着腿下床去捡地上的花。子歉听到动静，回头将她推回病床，“你给我好好躺着。”

他下手毫不温柔，阿珑往后跌躺，幸而床头垫着两个软枕。她从小也是众星捧月的人物，为了得到心头所爱才甘心做低伏小，可眼前这般待遇她无法忍受，她从子歉眼里看到的自己不是个娇滴滴的女孩，而是恶臭的包袱。

阿珑伸手一捞，扯住了子歉的衣袖。她带着哭腔，“残废了才好，你这辈子都别想摆脱我！”

子歉一挣，她也用了吃奶的力气抓牢，竟被他的力道牵引着向前，眼看整个人就要扑落床下，子歉的身体挡了一下。阿珑借势揪着他胸前的衣服，左腿的伤处痛不可当。她支起脖子胡乱地亲在子歉气红了的眼上，哭着说：“不要这样看我，我不许你讨厌我。”

子歉没料到这一出，单手抵在两人之间，他另一只手还拿着剪刀，就这么打横在她胸前，锋利的刃口平贴着柔软的胸脯，还在急剧起伏着。阿珑被他强行隔开几寸，哇哇大哭，他眼皮上全是温热潮湿的触感。

有护士探头进来，吃了一惊又缩了回去，这段时间以来，阿珑身边的医护人员早把子歉当成了她的男朋友。

“别哭了！”子歉斥道，他拍着阿珑仍揪着他衣服的手想让她松开，自己也狼狈莫名。

他话音落下，阿珑一哆嗦，当真不敢再哭，只是仰头，微张着嘴不住抽泣。她一头卷卷的头发乱糟糟的，极度亢奋过后的脸上残存着淡淡的粉色，脸也圆，眼睛也圆，分不清上面的湿痕是鼻涕还是眼泪，颤抖的嘴唇往外呼着热气。子歉忽然觉得自己怀里的不是一个人，是只斗败了的猫。

他又想起了青溪，青溪才有一双猫一般的眼睛，杏仁形，眼波灵动，清纯而娇媚。子歉不久前见到了她。青溪给他回了电话，说：“你现在没喝醉的话我们可以见见。”她变了许多，一身华服，拎着她从前一年不吃不喝也买不起的包，浑身上下有一种过度夸张的精致，这是对从前吃过的苦报复性的补偿。

青溪对子歉说，她过得挺好的，不是气话，也不是谎言。隆兄待她不薄，热情过后虽未厌弃，但也没有在她身上耗费大量的时间。他有钱，身边多她一个不多，少她一个不少。她还说自己不为傍男人而羞耻，隆兄给钱，她付出肉体，不偷不抢，不拖不欠，没有伤害自己，也没伤害别人。他们这些人又能干净到哪里去呢？子歉连魂都卖给他“二叔”了，比她还可怜。她和隆兄只谈物质，不涉及精神，从无争执，日子过得很愉悦。终于她不再为了一碗牛肉面而恨不得撕碎一个陌生人，等候恩主召唤的间隙，她还能有时间读书、学画画。这是青溪从小渴望的事，在过去的家庭里她多上一天学都是对弟弟的剥削，现在心愿才一一实现。

子歉无话可说，是啊，他又比青溪干净多少？青溪尚且一部分是属于她自己的，没有魂的人，身体又能自由到哪去？他总是存着奢望，执着于不属于他的东西。青溪仿佛他年少时亲手做的泥陀螺，他满手脏污，捧着它心中却满是喜悦。他现在已过了玩陀螺的年纪，洗净双手，只余眷恋。祁善呢，祁善是子歉心中的一幅画，裱在优美典雅的画框里，装点他的寒室。她的喜、她的悲都隔了透明的一层。子歉珍之重之地端详，却发现她早在无法触及的地方落满尘埃。

阿珑现在的样子在子歉看来一点都不美，可她是活的、热的，由他支配。

他可以成全阿珑，阿珑也可以成全他。

第四十二章

斜风细雨终须归

WE

Chapter Forty-two

祁善失恋了。

一周后的某个傍晚，子歉将她约出来。他们站在河堤的柳树下，她等着他开口，像迎接审判。

对比起周瓒铺天盖地的流氓哲学，子歉分手的方式是强盗式的。他只说了一句话：“对不起，祁善，我想我应该和阿珑在一起。”然后他沉默地站在她身边，不再解释，没有多余的一句废话，闷棍打狗，滴血不留。

祁善也懂了。她回答说：“哦。”

独自一人回到家，她爸妈有些奇怪，怎么出去约会不到十分钟就回来了，还饿着肚子。祁善饭吃到一半，恍然想起，她连“再会”都没来得及说。

就这样，祁善二十八年的人生头一回正正经经地恋爱，又正正经经地被人甩了。两个生活圈子重叠太多的人谈恋爱的弊端逐一体现。第二天早上，大部分认识祁善和子歉的人已经知道他们分手了，到了第二天晚上，所有人开始对她表示同情。祁善走到哪里都有“理解”的目光在等待她。她愁是发自肺腑，笑是强作欢颜，面无表情是把悲伤深埋在心底……喝杯咖啡也被人解读为彻夜不眠。就连她妈妈也不再对她横挑鼻子竖挑眼，早餐多给她煎了一个荷包蛋，她爸爸对她说了许多励志的人生箴言。

听说周启秀亲自登门向老友赔罪，他本想让子歉也来，被沈晓星夫妇制止了。年轻人婚前有选择的自由，何苦弄得大家下不来台。何况在祁善缓过来之前，他们也不打算和子歉碰面。三个长辈一块吃了顿饭，大家互吐苦水，不了了之。

这些事都是祁善间接从她爸爸那里听来的。分手后，祁善用不着再随子歉背井离乡，但是她还是接到了去兄弟院校图书馆交流学习的通知。祁善很怀疑这是她妈妈和老同学沟通后的结果，她老老实实地去了，一去就是三个月。回来时夏天已到尾声。

祁善继续在图书馆和家之间两点一线地生活，依然没有任何人在她面前提起周子歉，他也没有再出现在祁善面前。这种过度的"隔离保护"反而让她浮想联翩，子歉和阿珑到底走到哪一步了，他们公开了？见家长了？结婚了？祁善只能在心里猜测，她不能将这份好奇公之于众，闻者会沉重劝解：分手了，就放下吧，何苦和自己过不去？

她现在岂止是放下，连从前有没有端起过都产生了怀疑。

在这种氛围里，陈洁洁约祁善打麻将简直成了天降的福音，祁善欣然赴会。

陈洁洁本来已约好了人，除了祁善，她还叫了一男一女两个朋友。这牌局是为祁善而凑，阿珑撬了祁善的墙脚，陈洁洁身为阿珑的嫡亲表姐，又和祁善关系不错，她自认身负着为祁善解忧的义务。牌搭子的选择也讲究得很，必须不与子歉、阿珑两人相关，免得祁善触景伤情，最好来的人灵活善谈，大家年纪相仿才玩得开心。祁善牌打得极精，还不能找半吊子的人凑数。这样一来选择的范围就窄得很，陈洁洁绞尽脑汁也才找到了两个合适的人选。

万事俱备，祁善下班后也第一时间赶到了陈洁洁定的茶庄。谁知陈洁洁那个从事法律工作的男性朋友临时放了她们鸽子，说是法院临时更改开庭时间，他需要抓紧准备，陈洁洁骂了他一场也无济于事。

已经坐在麻将桌前看电视的另一个牌搭子叫郑微，是陈洁洁丈夫周子翼的同事。她给陈洁洁出主意，说："你给小苏打电话，她人是闷一点，牌打得比她老公强。”

陈洁洁犹豫道：“不好吧，她的孩子怀得不容易，这一坐就是一晚上，她老公也不让。”

说着，她愁眉不展地翻阅手机通信录，也打了几通电话，选中的人有些不会打麻将，有些没空，她已放弃了一些要求，但总不能把阿标这种二货叫来吧。

陈洁洁想到了一个人，他什么条件都吻合，唯独……

“要不，我叫阿瓒来？”陈洁洁试探着对祁善说。

“啊？”祁善也想不出该说什么。

“你跟他又没什么事，总不能连他都不见吧？”陈洁洁合掌道，“对，就叫阿瓒来。你没意见我打电话了啊！”她根本没有给祁善回绝的余地，才说完上半句话，电话早已打了出去。

周瓒很快接了电话，陈洁洁表明来意，过了一会，脸色变得不太好看。她说：“少跟我扯，你忙什么，有空去玩，没空陪我们……工作？谁信啊，再问你一次，来不来？”

陈洁洁显然再度遭到拒绝，对方的态度让她火冒三丈，她负气道：“我不管，你自己跟祁善说！”

没等祁善反应过来，电话已不管三七二十一地落入她手中。祁善没告诉陈洁洁，她和周瓒很久没有联络了。确切地说，从他去学校找她那次之后，两人根本连话都没好好说过。他那天从四号食堂门口走时异常沉默，后来在阿珑病房里打过照面一次，他没有理她。再往后他们见面是在刚过去的中秋节，周瓒照旧中午陪周启秀，晚上到祁善家吃饭，自始至终他也只是和她爸妈谈家常，与祁善直接对话不超过五句，还把钱还给了她，俨然一副两不相干的模样。

祁善拾起“烫手山芋”，苦着脸说：“喂……你打麻将吗？”

“不打！”他的口吻简直是在拒绝“黄赌毒”。祁善被他震得将手机从耳边移开几公分。

陈洁洁推她一把，小声道：“你哄哄他。”

“哦，那个……洁姐说，三缺一。”

“吃饱了撑的。”

祁善听到“嘟嘟嘟”的声音还有些莫名，他哪来的火气，不来就不来嘛，竟然挂了她电话。她悻然把电话还给陈洁洁，陈洁洁骂道：“这小子，有本事嚣张到底！”

在不甘心的驱使下，陈洁洁又对她的朋友圈进行了一次梳理，赶在祁善打算回家之前叫来了“救兵”。匆匆赶到的老张是陈洁洁和郑微共同的朋友，祁善说不准他的年龄，据说还是单身，高个子，长得其貌不扬，人却是风趣善谈。打从老张坐下之后就再无冷场，三言两语逗得几位女士娇笑连连，祁善嘴角也有上扬的弧度。陈洁洁后悔自己怎么一开始没想到老张，这个人选今晚是找对了。

祁善在牌桌上一改平日的温和柔善，猜牌精准，组牌刁钻，十把牌里倒有九把让她和了。陈洁洁他们开始还存着让她开心开心的打算，眼看她把把和大的，不禁也急了眼。尤其郑微也是个不服输的，眼看听和，老张又给祁善点了一炮，还是把“清一色”。她忍不住对老张道：“你真是喂得一手好牌！”

老张无辜得很：“要不咱俩换位子，你坐她上家。人家打得好，我有什么办法？”

“我还不知道你！”郑微不吃老张这一套。可惜祁善心思全在牌上，全然无意于老张在点炮过程中渐渐亮起来的眼神，老张的各种搭讪她也左耳进，右耳出。

“祁善，你的名字怪有意思，有什么缘由吗？”老张不时看看祁善。

“哦，黄帝生 25 子，第 14 子封‘祁’。‘善’主仁爱、高明、赞许、擅长……我爸妈希望我什么都好，结果我什么都差点意思。”祁善和风细雨地解释，手下半点也不含糊，话音刚落又果断吃进了老张新扔出的一张“四万”。

“杠——杠上花，八番。”她微笑着面朝老张。这一刻他的人即他的牌，他说什么，长什么样已经完全不重要了。

陈洁洁指着在场唯一的男人，叹道：“老张啊老张！”

郑微索性将牌一推，伸个懒腰，“不打了不打了，中场休息。我带了一瓶年份不错的酒，大家来喝一杯。”

老张殷勤地为女士倒酒，替祁善满上之后他好奇道：“以前有人说你长得像月份牌画上的美人吗？”

“我爸用擦笔水彩画法给我和我妈画过一张类似的，不过我更喜欢周柏清的风格。”祁善答得认真，用鼻子轻轻嗅了嗅杯里的酒。

“月份牌还有十二张呢。就算我和郑微结婚了，顺便夸夸我们有那么难？”陈洁洁忍俊不禁。

“回家让老公夸去。”老张摸着鼻子说。

祁善十九岁那年“意外”得知自己酒量不错，可到现在她也没喝过几回。她不说，别人决计不会将她和“海量”联系起来，出去吃饭她总是被自动分到妇孺的那一桌。逢年过节她爸爸拿出收藏的好酒，明知道周瓒滴酒不沾，还一再劝他喝少许无妨，祁善面前却永远摆着软饮。只有一次她妈妈让她尝一口近三十年的茅台，未来得及沾嘴便被周瓒插科打诨地给搅了。然而独酌又差了点意思，一如她的麻将水平在游戏平台上小有名声，可到底比不过四个大活人面对面坐着打牌来得痛快。

眼看她把杯子凑到嘴边，陈洁洁不忘关照一句："祁善，喝一点红酒没事吧？"

"没事。"祁善微笑道，"我喝少一点。"

等到几人干完了郑微带过来的那瓶酒，陈洁洁才发现祁善喝得并不比他们少。她和郑微面颊多少有些发烫，祁善神色如常。

"行啊，真人不露相。我们继续。"郑微乐了，从桌底的纸袋里又掏了一瓶酒出来。

老张说："你到底带了几瓶酒？"

郑微笑："本来有一瓶是林静留着明天应酬用的。管他呢，他胃的毛病多，我们喝光了更好。"

"还是你幸运，老公有本事，还不会跟你打架。"陈洁洁打趣道。

"等你尝过我那样的日子，就明白什么是'悔教夫婿觅封侯了'。"郑微不等老张动手，自己三两下拔了酒塞，"子翼最多嘴上嘚瑟，给你提鞋他也愿意。"

"他不嫌我，我也不嫌他，好坏有个人在身边。"趁着酒酣耳热，陈洁洁点出正题，"祁善，子歉的事是阿珑不对，我们都看在眼里。"

"没什么对不对的，已经过去了。"祁善低头抿一口酒。

"我劝过阿珑，她不听，死活认定了子歉。谁知道呢，或许有些人天生对爱有直觉。塞翁失马焉知非福，别怪我多嘴，在这方面你该向阿珑学着点。考虑得太周到不一定是好事，喜欢就大胆地上。”陈洁洁靠近祁善耳语几句，祁善未被酒精侵扰的脸上现了红晕，她本想辩白一句，说：“谁喜欢谁就上。”一时口误，不小心说成了“喜欢上谁就上谁”。

这般“豪气”之语从祁善嘴里说出来实在违和，郑微扑哧一笑。陈洁洁正想说话，忽看到门被推开，她看清来人，嫌弃道：“大忙人来了！”

“刚才忙着，现在有空了。”周瓒进来。外面下着零星小雨，他的发梢和肩膀带着湿意，像披挂着秋风，一时间将室内暖光、红酒、麻将桌的小情调冲淡了不少。他站定在麻将桌前，随意地问祁善：“刚才你说想上谁？”

祁善万万没想到这话也被他收入耳中，情急掩饰道：“反正不上你。”

陈洁洁和郑微闻言又止不住笑。

祁善陷入懊恼中，说多错多，她为什么要接他的话，明明只要不理会他，或说一句“不关你事”就可以了。

“这位是？”老张问。

“他是周瓒，子翼堂弟。”陈洁洁眼睛一转，“他还是祁善的……我也说不清他是祁善的谁。”

周瓒笑而不语，手在果盘上游移，挑了个橘子低头剥起来。

“我们人够了，用不着你来。”陈洁洁揶揄道。

“看看也不行？”周瓒说。

周瓒去过周子翼的公司，和郑微也打过几次照面，郑微叫人取了个空酒杯，说：“这酒不错，叫你赶上了。”

“我不喝酒。”周瓒目光很难不被茶几上已经空了一个的酒瓶吸引，祁善前面果然也摆着酒杯，里面留有残酒，“打麻将也要喝酒助兴？”

陈洁洁忍着笑：“我以为你是看了我发在网上的照片，才火急火燎赶过来的。”

当着这些人的面，周瓒当然不会承认他一看到陈洁洁晒出麻将和酒的照片，心里已冒出一股骂人的冲动。

“你也喝了？”他走到祁善身边，明知故问。

“她酒量好着呢。”陈洁洁想给祁善添酒。

周瓒不言不语地挪开祁善的酒杯，又问：“今晚赢了吗？”

“你说呢，她一吃三，我们裤子都输给她了。”郑微抢白道。

“酒也喝了，麻将也赢了，走吧！”周瓒催促祁善，“我去你家拿点东西，顺便送你。”

“哎，赢了就跑算什么？说好再打一圈的。”郑微不干了。老张也说：“现在还早，等会我送她也可以。”

“不用不用，我可以自己回去。”祁善想要喝完杯里剩下那两口红酒，周瓒在她之前拿起杯子，二话不说将酒泼在一旁的绿植上。

这下没有人说话了，包括祁善在内。

周瓒抓起她的包，顺便拎起她的人，笑道：“她喝多了，你们没看出来？”

待到两人出了茶楼，祁善才与他争论：“我哪里喝多了，你能不能讲点理？”

“当着认识不认识的人你都敢喝酒，不嫌丢人？”周瓒语气冲得很。

“发什么脾气，我没惹你吧？”刚才在其他人面前，祁善不想与他胡搅蛮缠。他们最近井水不犯河水，不过是邀他打麻将，他自己不肯来，这通火气实在发得莫名其妙，“两杯红酒而已，你不灌我，我醉不了！”

周瓒心道：果然是喝过了酒，连说话都比平时大声，态度之强横丝毫不逊于他。一想到再喝下去她没准就开始捏别人的鼻子，他不由心慌气短，庆幸自己来得及时。

他站在茶楼廊檐的橘红色灯笼下，把橘子递给她。祁善低头看，橘瓣上的白络剥得差不多了，被橘皮松松裹着，在他掌心。她心中一动，过了一会又摇头。

周瓒负气地将橘子两下塞进自己嘴里，想不到酸得厉害，“我去！”他绷着的脸皱了起来。

祁善嘴角微扬，他便咽下了嘴里的酸涩滋味，脸色也好看了一些，“可以走了吗？”

外面细雨斜飞，他们都没带伞。祁善犹豫片刻，“你不把车开过来？”

“想得美，这点雨淋不死你，正好醒醒酒。”转瞬周瓒已将她推进雨中，祁善只能跟着他往停车处跑，他嫌她慢，又回头拖她的手。

祁善气道：“喂，我穿着高跟鞋！”

第四十三章

避无可避的沉没

WE

Chapter Forty-three

钻进周瓒的车，祁善急忙脱了外套，擦拭脸上的雨滴。

“就知道你没安好心！”她埋怨道。

周瓒挽起袖口，故意把手上的水珠蹭在她袖口，不以为然道：“感冒也有个伴。”

“鬼才跟你做伴。”

“周子歉很有绅士风度，请问被甩的滋味痛不痛快？”

说完他眼前一黑，祁善把外套狠狠甩在他脸上。

“又拿我出气，这件事我可没插手。”周瓒顺手把外套扔往后排，讽刺道，“怪你自己没本事！”

祁善瞪着他：“我是没本事，被人甩了还要看你的脸色。我找你哭诉了？出来打个麻将也被你搅和，你见不得我好过？”

“我不找你，你打算一直当我是空气？”周瓒用力抽了几张纸巾按在祁善的耳边，“这里没擦干净。”

祁善沉默地清理自己。

周瓒又说：“我看不惯你忍气吞声的样子。周子歉是什么东西，你也任他这么欺负！”

“我该打他一顿，还是到他和秦珑家里大哭大闹？”

祁善沮丧的样子让周瓒更加生气，“要分手也不能是因为那种事！你长没长脑子，明明是周子歉想攀高枝劈腿在前，现在倒像是他抓住了你的把柄！别人会怎么想你？”

祁善脸色一白，周瓒戳到了她的痛处。她可以接受子歉选择了别人，但心中始终有个疙瘩，仿佛这一切都因为她的过错，是她“奸情败露”导致子歉无法忍受，连带他们曾经有的关系都充斥着不堪的气味。

“周子歉不是省油的灯。他不贪心，秦珑奈何得了他？告诉你好了，他们已经住在一起，老秦上哪都带着他，对外称他是我爸的长子。我爸也默认了，谁让他是老秦未来女婿呢。我是无所谓，反正我不沾这个光。你呢，被人摆了一道还不吭声，只有吃闷亏的份！”

“哑巴了，小事清醒，大事糊涂。”周瓒继续落井下石，“这就是你选择的‘稳定’伴侣，亏你还想跟他走！”

“还不是怪你！”祁善恼道。别人可以批判她，周瓒这个始作俑者没有资格。

周瓒一愣，继而笑了起来，“好好，怪我！可你不要总是活在食物链的最底端，想踩死毒蛇，自己要先成为猛兽……不想改变也行，找个猛兽做伴，你才可以一直是绵羊。”他开始还正经得很，不知不觉又往自己脸上贴金。

祁善一点面子也不给他，“你不是猛兽，是禽兽。”

“管他什么兽，我想让周子歉不痛快容易得很。”周瓒侧身问她，“要我帮你出这口气？”

“周瓒我警告你，不许胡来！”

她起初有些膈应，渐渐地又恢复如常，他说得像别人的事。既然已不打算再在一起，好与坏都不再重要，有点不甘心，但也在能想通的范围之内，“何必为这种事浪费时间……你不是说送我回家，现在往哪走？”

“那边修路。”

“放屁！”

周瓒笑道："一喝酒就骂人。窝里横！"

茶楼距离祁善家太近，他自作主张地兜了一个大圈。祁善没有陷在周子歉离开的阴影里，周瓒的心情变得和新换的雨刮一样轻快，"从明天开始，下班后我去找你。闷在家里干什么？"

雨越下越大，祁善看着车窗上一道道水痕，失落道："我大概真的要找一个年纪大一点的男人，千帆过尽的那种，什么都沉淀了下来，省得折腾。"

周瓒嗤之以鼻，"老男人想'折腾'也力不从心，你还不如出家算了。"

"满脑子龌龊！成熟男人也可以很有魅力，要沧桑得恰到好处，腰杆笔直，有点白头发没关系，笑起来鱼尾纹很耐看，喜欢喝普洱，可以和我盘盘古玉聊天打瞌睡，最好还会打麻将。我觉得我心里也住了个老人。"

"你该不会暗恋我爸吧？"周瓒大煞风景。

"滚！"祁善恨不得踹他一脚。

"我爸够成熟了，可他女朋友不比我少。"

祁善被周瓒说得心如死灰。车里静了一会，他忽而又腾出手碰了碰她胳膊，不怀好意地笑："我想起来了，30年后我也会是你形容的样子。不如我让你提前使用，你多摧残我，我会老得更快！"

"我喜欢私人一些的东西，用不惯公共用品。"祁善撇嘴。两杯红酒喝不醉她，却能让她心思活泛，言辞犀利。

雨夜的路上没什么车，红绿灯也意外地配合。周瓒把车速放得极慢，还是很快就到了他们熟悉的路口。祁善那话听得他极其闹心，他把车停在路边，"你是在拐着弯骂我？"

"我说错了？"祁善斜睨着他。

周瓒气不顺道："我睡了个女明星，给你们提供了一点谈资，就成了公共资源了？”

祁善想骂他不要脸，又浑觉得这句话对他毫无杀伤力。这里离她家不过百米，横竖身上也湿了，她一手去解安全带，另一只手已搭在车门把手上。

周瓒的手及时挡在安全带系扣处，祁善冷冷看他，用那种“我早知道你是贱人”的表情。

“我睡了她的床，但是没睡她。”周瓒赶紧收了玩笑，“我送她回酒店，聊着聊着就困了。那天我心情不好，她又老不让我走，谁知道门口会有记者。不信你问朱燕婷，她绝不会替我说谎。”

“清者自清，有什么可解释的。”祁善说。

“当然要说清楚，我就怕你拿这个说事。”周瓒的手抵挡着，依旧不肯让她按开安全带，却松开了自己身上的，探身去看她的表情。祁善为这件事动气，让他既忐忑又窃喜。

“这事女方不主动扑过来，我一般懒得动。”祁善如他所愿转过脸来，虽然她满脸受不了。周瓒的笑意从眼底透出，祁善抠安全带系扣，他胆子一大，连她的手一并捂住，压低声音贱兮兮地说：“以前也是你强迫我的。我口味重，喜欢有人穿泳装叫我绰号……哎哟，轻点，我还喜欢下手打我的！”

祁善恼羞成怒，“你是不是还喜欢捏得你鼻青脸肿的？”

周瓒挑眉：“谅你也不敢。”

祁善迟疑了几秒，然后鬼使神差地在他鼻子上重重拧了一把。她也说不清周瓒是怎么从驾驶座挪腾到她身上的，身上的安全带仍勒着她不放，椅背连同两个人一起向后倾倒。座椅也在身下调整着，该退的退，该抬的抬。祁善最后一个清晰而理性的思维是——他这一手果真熟练得很。

有人撑着伞从一旁的人行道经过，脚步蹚在积水里，听来清晰而滞重，渐渐地又远了，或许是他们都熟悉的某个街坊。与他平时的花样百出、虚实难辨的外在风格迥异，周瓒亲吻的方式简单得很，毫无矫饰。他双手捧着她的脸，偶尔吐露出的只字片语也是气息咻咻的，“我说过只要你再拧鼻子我就会亲你。”

祁善有些惊慌却并未挣扎，像避无可避的沉没，怀着自我厌弃的坦然。她甚至也没有闭上眼，一路看到他轻颤的睫毛，满脸潮红，亲吻后潮湿的嘴唇，滚动的喉结……他亲吻别人时也是如此？管他呢，她为什么要在乎别人，也不想在乎将来，她只有他，只有现在。也许他们天生是契合的，她如同饥寒交迫的人行走在夜路中，他却是贴身的锦袍生虱，适口的佳肴有毒。

“小善，小善……”他用鼻尖磨蹭她。

“你起来。”祁善艰难地开口，“我觉得有点烫。”

“哪里？”周瓒暧昧笑道。

她说：“座椅！”

周瓒从没有那么痛恨过汽车座椅的加热系统，或许是他刚才猴急调整座椅时误碰了开关。当他摸索着将其关闭，祁善也借机将他掀到一边。少了刚才一鼓作气的势头，周瓒也不敢轻易造次，只能回原处坐定，看祁善背对着他拢着头发和衣服。他有些不甘心，又喊了声“小善”，涎着脸想凑过去跟她商量能不能别急着回家。这时祁善那侧的车窗被人叩响，她回头，脸上写着“糟糕”！

车窗外的人是祁定，他撑着伞，另一只手还拿了两把。

“我刚才在楼上晾衣服，远远看到你的车，小善她妈妈还说我认错了。”祁定对率先下车的周瓒说。

周瓒接过伞，又盯着车窗玻璃观察了一会。祁善也走了下来，“爸……”

“马上就要到家了，怎么把车停在这里？”祁定帮她把伞打开。

祁善含糊道：“我们在找点东西。”

三人回家，沈晓星迎上来，“不是给你们带伞了吗？身上怎么湿了……你脸为什么红成那样？”她最后一句话问的是祁善。

祁善在目光如电的妈妈面前刚露出支吾的端倪，周瓒立即把话接了过来：“她在外面跟别人喝酒！”

“跟谁一起？”沈晓星去给他们拿毛巾。

“我嫂子，还有她朋友。”周瓒朝祁善眨了眨眼睛。

“多认识认识朋友也好。”沈晓星让他们把头发擦擦，手里接过周瓒给的东西。祁定患有糖尿病多年，周瓒不时会给他送来一些无糖的茶点。

“总算没白疼你。”沈晓星说。

周瓒没脸没皮地朝她笑：“我是谁呀，我是你们的干女婿。”

沈晓星笑骂道：“我没有干女儿，哪来的干女婿！”

“女婿比儿子好，丈母娘看女婿越看越有趣。”周瓒信口胡诌，“我这个干女婿除了最重要的事，别的活都得干！”

“你这胡说八道的本事跟谁学的？”沈晓星摇头进厨房给他们煮姜糖水。

周瓒坐到祁善身边，作势要替她擦头发，换来祁善一句：“你还不走？”

“雨小一点就走。”

沈晓星扬声问周瓒：“阿瓒，你嫂子的朋友是男是女？你人脉广，有合适的也可以替小善物色一下，她整天不出门……”

“妈，他能认识什么好人？”祁善气急道。周瓒气定神闲地靠在沙发上，她快坐不下去了，想赶他走，碍于她爸爸在对面沙发看电视，不好太直接地恶言相向。想到不久前车里的事，她警告他的目光也不好意思过多地在他身上流连。

周瓒盯着她，除了笑再没别的表情，“也对，我的朋友里数我最好。干脆让我这干女婿转正得了！”他的手搭在沙发靠背上，说话间不动声色地扯了扯祁善肩上的头发，被她无声地踩了一脚。

“再好也没用！上回的教训还不够？万一最后成不了,大家知根知底的，这日子还过不过了？”沈晓星说，“她呀，还是得找个能收心踏实过日子的，你老老实实做我儿子吧！”

祁善无奈，“你们能不能别当着我的面讨论这些事？卖猪肉似的！”

周瓒难得沉默，他揣测着沈晓星玩笑话里的意思，心中若有所思。

晚雨留人。祁定看完电视剧，听窗外如天河决堤般的雨声，对周瓒说：“雨太大，开车回去危险，你今晚就住家里吧。”

周瓒偶有留宿，常年备有换洗衣物在这里，闻言想也不想地点头，“好。”

祁善回房洗漱完毕，楼下还有灯光和说话声。她爸爸是夜猫子，兴之所至，常常挑灯画到天亮。她下楼来，看见周瓒也换了衣服，站在画室里和祁定闲聊，手里摆弄着一个小物件，走近了才发现那本是她打算送给子歉的纪念日礼物，可惜始终无缘交到他手中。

她下来拿自己的杯子，周瓒也跟出来，在她东张西望时把杯子递给她，沉甸甸的，里面已经装了水。

“我拆了包装纸你不生气吧，反正你也不会再把东西送给他。”周瓒两只手交替抛着那东西，皱眉道，“一个铁疙瘩有什么好看！”

那其实是一个精钢纸镇，造型极简，据说出自某设计师之手。被周瓒这么一说，祁善也觉得挺没意思的。她挑礼物时颇费心思，才刚过了几个月，竟连当初自己选择它的理由都快忘了，从前种种像绘在沙滩上的蓝图。

对了，她第一眼看到这个纸镇时，觉得那种淬炼后的冰冷和坚固与子歉给人的感觉很相似。祁善对周瓒说了，他不以为然，“和他一样没情趣倒是真的，还死沉！”他尾随祁善到了楼梯下，追问：“我呢，你都没正经送过我礼物。我像什么，钻石？黄金？翡翠？瓷器？”

祁善哼道：“就算是瓷器，你当遍地都是定窑、钧窑？你顶多是个破瓷缸。”

“吃过你很多口水那种？”她不让他上楼，周瓒懒洋洋地靠在楼梯扶手上笑，怕祁定听见，声音压得低，显得更为暧昧。

“你不要过分。”祁善朝画室的方向看了一眼。

“这过分吗，祁善，谁让你喝了我的‘叩心门’，你要对我负责任。”周瓒不正不经地说。

祁善面露困惑，她是第二次听到这个古怪的词汇，“你说喝什么？在哪里？”

周瓒扯着她弯了腰，在她耳边笑道：“在口水里……你再打我，我要喊了！”

第四十四章

江河入海

WE

Chapter Forty-four

祁善答应妈妈多与外界接触，周瓒毅然担起了扩展她朋友圈的重任。有段时间一下班他就去找祁善，风雨不改，倒比她上班还积极，还不让她请假。

玩是周瓒的长项，领着祁善玩却是个全新的体验，他去哪都带着她，身边的朋友也一一向她引见。别人跌破了眼镜，问祁善和他是什么关系。周瓒通常把这个问题抛给祁善，死皮赖脸地问："我是你的谁？"她不想回答就会当没听见，旁人的玩笑是露骨还是含蓄，她也荤素不忌。从前祁善很好奇周瓒在她之外的那部分生活是什么样的。萨冈有一段著名的话：所有漂泊的人生都梦想着平静、童年、杜鹃花，正如所有平静的人生都幻想伏特加、乐队、醉生梦死。然而平淡安稳终叫人难耐，热闹新奇尝多了也不过如此。

周瓒起初为了故意逗祁善，会带她去那种玩得特别疯的聚会。祁善不享受，却也不抗拒。她对任何光怪陆离和奇技淫巧都持感兴趣的态度，观望、揣摩、默默心领神会。反而是周瓒先受不了，他主动带着她来，又总盼着她先开口说要走。祁善坐在那里，他无法安心，每隔几分钟就要扭头去看她，怕她觉得无趣，怕她先丢下他走。把祁善送回家了，周瓒才玩得尽兴，可那尽兴又少了点意思，心里到底有事。

他现在领会到堂哥不时会偷溜出来玩，一接到电话又无心逗留的矛盾。人的天性是拘不住的，不会因为爱上任何人而改头换面。周瓒可能这辈子也不能像祁善一样安于平静，但是他甘心被游丝牵系，偶有偏离，翻不过天，祁善成了他的界限。他甚至愿意虚心向堂哥讨教其中心得，结果遭到了他们夫妇俩的无情嘲笑：现在他谈论这些为时尚早，他就是想收心，也要看人接不接。

祁善与子歉分手后的第一次碰面在阿标家新店开张的酒会上，都是熟人，说是偶遇，其实也是必然。子歉身边跟着阿珑，和祁善同来的周瓒刚到没多久就被别的朋友拉到一边寒暄。

子歉先看到祁善，他走了过去，祁善也没有回避，三人形式化地打了招呼。子歉让阿珑去给自己拿点冰块，阿珑有小小的不情愿，还是乖乖去了。

“她对你很好。”祁善由衷道。

“是。她有很可爱的地方。”子歉点头，看了祁善一会，又笑了，“你对阿瓒不也很好？他腿伤要不要紧？”

周瓒的伤是前天的事，他跟朋友去骑山地车，挂了彩回来。祁善中午休息时接到电话后赶去他住的地方，发现他擦伤处在小腿，说是避让一条狗才摔了一跤，幸而没伤到脸。周瓒不安分，小磕小碰常有，祁善给他处理伤口，他死活不让祁善剪开已经磨破的裤子，非说是什么纪念款。祁善知道他无非是想要流氓，默默举着剪刀，他这才不敢轻举妄动。下午回学校上班，展菲一见祁善就问起了周瓒的伤，祁善才知道周瓒拍了一张伤口的照片发在网上，照片里有她拿酒精棉球的手出镜。下面是长长的一串留言，一半问手的主人，另一半已经猜出了答案。祁善后悔自己当时没一剪刀下去，她要周瓒把照片删了，周瓒嘴上应得好好的，借养伤为由拖到晚上，删不删都已经没多大区别了。

子歉不在留言的人之列，但他想必认得祁善的手，毕竟有段时间他曾将它握在手心。

“没事，小伤而已。”祁善说。

子歉低头笑笑，语气不无惆怅，“以前我不服气，认为只要周瓒不从中作梗，我们就会是很好的一对。人之所以活得累往往是总想不属于自己的东西。他用不着挑拨，只需要把事实摆出来，就足够我知难而退了。”

祁善没有说话。他依然绝口不提自己与阿珑的关系，仿佛走到今天一切都是祁善的选择，从头到尾他只是在尊重她、成全她。这个站在她面前侃侃而谈的子歉，比分手时只用了一句话的他更让人陌生。

“聊什么呢？”周瓒回到祁善身边，一只手搭在她的肩膀上。祁善破天荒地没有动弹，她看着子歉那种了然于心的笑意，就当这是她自己的选择吧，他怎么想都不再重要。周瓒没有说错，是她错得离谱，她怎么会认为子歉才是更适合她的那个人？周瓒不怎么样，相比之下，竟也不是一无是处。

“我说你们很好。”子歉说。

周瓒才不管子歉是不是言不由衷，“那是当然！”

阿珑听阿标的妹妹数落今天的公关公司太过敷衍，她端着玻璃杯，不时回头望向心系之处，杯里的冰块已开始融化。子歉亲口说过他和祁善再无可能，阿珑相信他。子歉是值得托付终身的男人，她每了解他一天，就越觉得自己是为他而生，祁善可以给子歉的，她都可以双倍赋予。可她还是很想知道他们在聊些什么，看起来融洽得很。周瓒都可以加入到谈话之中，她为什么要在一旁等待，像个傻瓜。可她现在若贸然过去，子歉会不会生她的气？

就在阿珑犹豫之际，子歉已从周瓒二人身边走开，仿佛感应到阿珑的牵肠挂肚，他微笑着朝她招招手。阿珑像小鸟一样朝子歉飞去，挽了他的胳膊说：“刚才赵叔叔还问起你，他和我爸是老相识，我们去打个招呼。”

周启秀刚到，他和阿标父亲交情不错，接了邀请函特来捧场。阿标父子热情相迎，子歉也领着阿珑朝他走去。祁善不愿去揣测，子歉和阿珑在一起有几分出于真心，几分是为了阿秀叔叔。现在的他看起来意气风发，举手投足间有了阿秀叔叔盛年时的风采。祁善心间却浮现出多年前她初识子歉的情景。他熟知许多种花开放的时节，当误以为隆兄意图不轨，他会不计后果地挡在祁善身前，哪怕她当时对他而言什么都不是。他有时郁郁寡欢，做的多说得少，黧黑而倔强，像一棵笔直坚忍的树，笑起来又如山间自在的风。那是祁善认真想过要将身嫁与的人，不知不觉间已被他自己的渴望驯化成另一个模样。

“什么锅配什么盖，你犯不着心里不舒服。”周瓒顺着祁善的目光看过去，把她的脖子勾得更近。

祁善拨开周瓒的手说：“我没有不舒服。”她既不是子歉所爱的人，也不是他最终选择的人，只是游移他心中两极之间的一个过客。

“他是个好人，只是不为自己而活。我能理解他。”

周瓒鄙夷道：“‘理解’背后的意思说白了还不是没办法。他怎么不是为了自己？什么理智战胜情感，都是虚的。不过是感情不够深，比不上其他的欲望和别人的认同。天底下的隐忍克制都是这回事！”

“你的自私还成了美德！”祁善再一次折服于他的歪理邪说。

周瓒从不否认在这段关系里他是更在意自身感受的那个，说自私并不为过。他将她从鸡尾酒台前推开，在角落背着人调笑，“谁不自私？周子歉喜欢做我爸的好儿子，我喜欢你。喜欢你也是为了我自己。”

他最近越来越露骨，祁善已经被他的肉麻话浇灌得心如坚石，面不改色地说了声：“滚！”

周瓒对这个“滚”字也有了亲切感，笑得更欢，“你陪我滚？”

在祁善翻脸之前，他飞快地捏了捏她的手心，“我不要你理解我，宁可你埋怨我。”

他们也过去和周启秀打招呼。周启秀今天带的女伴周瓒和祁善都认识，从前营销部青春可人的小李已成了全资子公司的负责人，依然干练而美丽，可脸上也隐约有了岁月痕迹。她是周启秀身边的女人里陪伴他时间最长的一个，周启秀对她也分外优容。她对他们客气地笑，不落痕迹地夸赞祁善的气质好，言谈笑意里是对周瓒克制的讨好。

周瓒对她持一如既往的漠视态度。她在他父母婚姻存续期间就与周启秀不清不楚，周瓒可以与周启秀新交的小模特一起坐下来吃饭，却唯独给不了她好脸。过去只要有她的地方，他通常二话不说拔腿走人，周启秀因此也颇为尴尬，极少让她露面。近年来，也许被善夫子同化，周瓒态度稍有松动，他会想，老头子已经不再年轻，让他多一些安慰和欢愉没什么大不了，这位李小姐不管为情还是为财，毕竟用自己最好的年华守了老头子多年。周瓒依旧不会对她假以辞色，但她渴望在公开场合站在周启秀身边，只要周启秀愿意，周瓒只当看不见。听说她这些年已不再幻想成为下一任周太太，却仍未放弃给周启秀生个孩子，访遍了中西名医。周启秀什么都没说，周瓒竟觉得她也有几分可怜。

隆兄凑热闹过来聊了几句，他与阿珑说话，子歉面色并无异样。周瓒为了让祁善彻底死心，早把青溪的事也一股脑地告诉了她。子歉今后要是娶了阿珑，是要叫隆兄一声“舅舅”的。隆兄虽不会给青溪名分，但这关系依然尴尬。

回去的路上，祁善问周瓒：“一个男人真的可以同时爱上几个女人吗？或者说心里爱一个人，身边却是另一个。”

周瓒被她认真的态度吓了一跳，浑身不自在地说："我哪知道！"

祁善不放过他，"你不是男人吗？还是一个数不清自己有几个前女友的男人。"

"谁说我数不清！"周瓒面对这个问题从不大意，急赤白脸地为自己辩护，"我那些经历都是阶段性的，每一任都好聚好散。你不要污蔑我。"

他的爱是"相见时欢，后会无期"。祁善笑道："慌什么，我不是针对你，找你聊聊罢了。"

周瓒想起今天所见，有些会意，心定之下也有了条理，斟字酌句地说："心动是有可能的。人的感情像河一样，长年累月流淌，中途有分岔不奇怪，但总有一条主河道是不变的。到最后所有分岔、支流不是蒸发断流，就是并入主河道里。"

"跑了半辈子才发现自己原来是支流的人岂不是很可怜？"祁善想，就连独自流淌的主河道也不值得沾沾自喜。

他们把车停在家附近的广场，在河堤旁慢悠悠地走。周瓒身高腿长，受不了这种夕阳红的步调，倒退着走才与祁善保持一致。他笑嘻嘻地说："江河入海，你怕什么？！"

祁善听了，站定没有出声。周瓒说着说着，自己都信了。她在这里就够了，静静的。他躁动、蜿蜒，贪看沿途风景，却总是朝她奔流而去。

"难怪你那些前女友分手后也不肯说你坏话。"祁善抿嘴笑。他披着赏心悦目的新鲜皮囊，内里却像修炼了千百年的精怪。狐狸精有雄性恐怕就是如此。他费心思哄着你、骗着你，用那样的笑，那样的眼，就算明知他要吸血喝髓，又有几个人能拒绝？

"我们要约法三章，不翻旧账。以前你也没搭理我啊。"周瓒摘干净自己，又来打压她，“说到心里有一个人，现实中找另一个。你找周子歉难道不是这样？我计较过你吗？”

祁善无言以对，陷入惭愧自省中，“也是，我有什么资格说你。”她垂着眉，好一阵过后忽然警觉，自己又在他谜之逻辑中着了道。

“不对！我……”

“你心里那个人当然是我！”周瓒永远不知道谦虚为何物，他说，“你吊着我好了，吊残吊废，到老了你还得侍候我。”

周末的夜里，河堤观景廊行人如织，路灯下有一个断腿的乞丐跪着不住朝往来的人磕头。祁善习惯性地翻钱包，她身上并无零钱，只得作罢。周瓒往乞丐的破碗里投了一百块。

祁善想拉住他已来不及，走过之后才低声埋怨道：“意思意思就行了。”

“亏你叫祁善，我比你善良多了。”周瓒说。

“我妈说他是骗子，两条腿走得飞快。”

“不可能吧！”

他拖长了声音，满脸不信……这表情太过逼真。祁善终于忍不住，抬眼道：“我妈还说，这些都是你告诉她的。”

“有吗？我不记得了。”周瓒装傻到底。

“猪脑子。”祁善骂道。

周瓒精得像鬼，活到现在只有祁善这个死心眼骂过他“猪脑子”。她嘴角上扬，他也跟着乐。

祁善路遇乞丐会给他们零钱，不图什么，求个心安。周瓒在她身边的话，每次给的比她还多。他这样做不是出于同情，而是因为祁善相信，哪怕他笃定对方是个骗子，在她面前也只装作不知。沈晓星常感叹祁善被他们养得不谙世事，懂再多的道理也只是个理想主义者。周瓒在祁善看来是彻头彻尾的功利分子。

莫非理想果然需要现实来承载？他根本不信祁善那一套，却愿意守护她的准则。

第四十五章

独守心众守口

WE

Chapter Forty-five

阿珑二十四岁生日，老秦一反从前在这方面的低调作风，为她风光大办了一场。子歉以半个主人的身份出现，两人的婚期也正式敲定在三个月之后。

当晚阿珑被鲜花、美酒、艳羡和道贺包围，她还拥有父母的疼爱、最好的年华和深爱着的人，像童话里的公主站在了七彩泡泡搭建的城堡中央。

三天后，老秦在他主持的一场例会上被带走，接受组织调查。他的公开活动和工作动态就此停顿在这一天。与此同时，老秦的妻子和内弟隆淘也被悄无声息地传唤。

子歉第一时间赶回周启秀的住处，周启秀没有去公司，他正在沙发上翻看一本老黄历，戴着老花眼镜。进入书房时，子歉连门都忘了敲，周启秀抬头看了他一眼，问他这个时候怎么不陪陪阿珑。子歉不答，他来的时候心急火燎，现在反而什么都不说，沉默地站在周启秀身边。

“还是躲不掉这一天。”周启秀合上黄历。听可靠的人说，老秦被带走时也相当平静，他绝不会毫无知觉，只是想不到来得这么快。

周启秀示意子歉坐下，目光温和，还隐有一丝愧疚。

“苦了你。”他叹道。

子歉不肯坐，半蹲在周启秀身边，低声道：“二叔，我们要早做打算。”

周启秀点头，他确有打算，然而并不是子歉想的那样，倾尽所能以图在这场波澜中全身而退。他有更重要的事要做。

子歉走后，周启秀照常去找祁定喝茶下棋。祁善下班回来，发现家里茶室的门半掩着，阿秀叔叔来了，她爸妈都在。到了晚上，爸妈跟她提起，阿秀叔叔想尽快将嘉楠阿姨的骨灰安葬，地点已经择定，日子也看好了。

冯嘉楠的骨灰此前一直存放在一座叫永安寺的江南古刹内，那里有香火服侍，日日可听到诵经声，周启秀和寺庙的住持是故交，他认为那是个不错的暂寄之处。原想着等他百年之后，由周瓒来将他和冯嘉楠的骨灰一并入土，可现在周启秀怕生变故，非要亲自安顿好冯嘉楠的归宿地才肯安心。这件事他邀老友夫妇同行，沈晓星和祁定都答应了。

“小善，你也一起去吧。”周启秀深夜离开前对祁善说。

祁善有些犹豫，能为嘉楠阿姨做点事她当然愿意，但眼下她们图书馆正在进行大规模的数据库升级，忙得不可开交。永安市在省外，过去她都是利用公休去祭拜，这一趟把事情办妥最少也得三天，领导不会答应她在这个时候请假。

沈晓星也开了口：“去陪陪阿瓒也好。”

周瓒今晚已经给祁善打电话了，他想她去。祁善唯恐周瓒有别的心眼，并没有答应。也许是她想得太多，妈妈的死始终是周瓒的一个心结，别看他平时嘻嘻哈哈，多年来也始终未曾释怀。这次去安置他妈妈的骨灰，周瓒心里不会好受，祁善是少数能让他提及此事，并给他开解的人。若将身份对换，周瓒恐怕也会推开一切的事务来陪她吧。

祁善的事假艰难地申请了下来，两天后，她们一家三口和周启秀父子俩一并出发。这次行程全由周瓒做主，所到之处的安排无不妥帖周到。沈晓星夸他总算有点大人的样子了。周启秀不说话，眼里有欣慰。

他们下午抵达目的地，第二天才是周启秀择定的日子，周瓒让他们在酒店先做休息。他安排的住处藏在一处山谷里，与冯嘉楠骨灰所在的寺庙仅一墙之隔，背靠着大片茶园。酒店是在一座古村落的基础上改建，保持了江南乡村独有的历史风貌和建筑风格，客房也基本上利用村落旧居一一修葺而成，每间房均为一幢独立的村舍，总共不过四十来间。粗看黄墙乌瓦，木门石阶，随意散落在林间溪畔，毫不显山露水，实则一院一景，屋内也别有洞天。行走在连接各屋舍的石板路上，小径幽幽，古木参天，溪水潺潺，既有古老的晒谷场，偶尔可见沧桑残旧的石刻佛像点缀其间。往来的服务人员身着玄色对襟衣衫，神色恭谨肃穆。一旁两座寺庙的僧人也会抄近道穿行其间。

周瓒订了四间客房，用过简单的斋饭，大家各自安顿。傍晚周瓒陪周启秀去永安寺拜见住持，沈晓星夫妇说要四处走走。祁善最清闲，她靠在临窗的竹榻上看了一会书，在初冬的清冽空气里打瞌睡。

脖子上痒痒的，祁善因此醒了过来，她看到周瓒弯腰在矮窗外，双手扒着窗棂打量她。她低头，胸前多了一样东西，正是她熟悉的那块和田玉，重新用菩提子穿好了。冯嘉楠去世后，祁善与周瓒和解，周瓒把她负气返还的小玩意借故又给了她保管。祁善没有反对，唯独拒绝留下冯嘉楠的玉坠，周瓒给的菩提子珠串更是扯碎了之后就不知去了哪里。

她现在看见的这串菩提子形状大小与从前无异，只是颜色朱红油润，已有玉质光泽，这是盘得极好的成品，有别于当年的新籽。祁善想细看它究竟是不是周瓒给的那一串，刚要摘下来，周瓒不悦道："别动。"

看她手一顿，他又说："明天我妈会希望看到你戴着它。"

周瓒从窗外翻进来，落在竹榻上，令它一阵咯吱作响。

祁善问："这么快就从寺里回来了？"

"我又不打算剃度，留在那里有什么用……我爸想单独在那待一会。"周瓒把祁善的 kindle 拿在手中，"还是你舒服，看艳情小说也能睡着。"

“林下听风眠，你懂什么？”祁善把自己的东西抢了回来。

“让我沾沾你的风雅。”周瓒大咧咧地躺下来。竹榻仅能容身一人，祁善把位置让给他。她低头找拖鞋，周瓒的手挡在她身前，“先别走，陪我一会，你坐着也行。”

天色初暗，仍可见他眼下淡淡青黑，像是有几天没能好好睡觉了。换作过去，祁善会认定他通宵花天酒地，可她刚听说了阿珑家出了事。阿秀叔叔与阿珑父亲关系匪浅，难保不受牵连。这不是小事，周瓒再没良心也难置身事外。

“你和我妈聊得来，你说她要是知道我爸的事，会高兴还是难过？”周瓒从祁善身后把手搁在她腿上，“我猜她最有可能说活该，她早叫我爸抽身，我爸不肯听。”

祁善安慰道：“现在不是还没事吗？不一定像你们想的那么糟。”

“只会更糟。”周瓒陈述道。

这不是祁善能力范围内的事，也不能劝周瓒别放心上。她没有动，陪他静默，两人一坐一卧。山中天寒湿重，周瓒仗着年轻体健穿得很少，屋子的黑石地板下虽藏着地暖，但他们紧靠风口，入夜后空气更是冰凉。

祁善伸手要去关窗，周瓒不让她动。她侧身坐着，他躺在她身后，像一张弓。

“我怕你冷！”祁善没好气。

周瓒又往她身上拱了拱，“怕我冷就对我好一点。”

祁善知道他指的是哪件事，可始终下不了决心。她心思重，不轻易拿主意，对她这样的人来说，下定决心再更改是一件更艰难的事。她用多少的时间去对一个人放心，就得用更大的代价去收心。祁善吃过周瓒的亏，一朝被蛇咬，十年怕井绳。周瓒说爱她，想要的时候穷追不舍，恨不得严丝合缝，可他是更坚固的那一半齿轮，她害怕早早磨损。

“你觉得我这样很讨厌，我也讨厌我自己。”室内一灯如豆，祁善垂首看他，他就像这人造的世外桃源，教人心神往之，却终非安身之所。她心平气和地对他说：“你想我在你身边，可你的爱只是习惯性占有。得到了，还会有更多的人和事吸引你。”

“我说过我会娶你，我占有你，你也可以占有我，这很公平。”周瓒理直气壮。

祁善护卫着她心里的最后一道防线，说：“我不愿做你一辈子的备胎。”

“那你想我怎么做，发毒誓？”周瓒开始焦躁，她比他想象中更加难缠。

“好啊，你发誓吧。说你再也不会心情不好就睡在另一个女人的床上？还是说你结婚后不会左拥右抱玩到天亮！”

“你为什么要斤斤计较这些，明知道我没有当真。”

“这些不够让一个女人害怕。我会当真，你妈妈当初也是！”

“你不是我妈妈，我也绝不会像我爸一样。”周瓒抱着祁善的肩膀哄她。

祁善抓起胸前的和田坠子问：“这上面刻了什么字？‘浮情应戒’。戒不掉的人才需要誓言。”

“放屁！”

周瓒站起来，一脚踢在榻前碍事的书报筐上。他没想到竹编的圆筐内部是纯铁打制，这一脚过去，筐身只是一晃，他的脚指头像断了一样疼。他一瘸一拐地走了，走前冷冰冰地对祁善说：“狡猾的懦夫！”

只剩下一个人的长厅，祁善用了许久才回过神来。他们又为了同一个症结翻来覆去地吵。她说得不好听，可都是心底的话。周瓒步步紧逼，祁善已一再退守，她尝试着从一个女人的角度给他宽容，多念着他的好，到头来别人怎么看待他们的关系、两人今后若再反目会有多尴尬……这些考量都可以被她视作细枝末节抛之脑后，剩下的计较只关乎本心。

窗前挂着半弯残月。在余光中的诗里，月亮是情人和鬼的魂魄。周瓒以前听她提起，也说是“放屁”，情人就是情人，鬼就是鬼，怎么混为一谈？祁善回答他，“你看到什么就是什么”。周瓒反问她看到了哪一样？祁善不理他。他们心里都有情，也有鬼，只是他更不计后果。她狡猾而懦弱，但那又怎么样，勇敢需要付出的代价太大。

祁善简单收拾了一下行李去洗澡。刚冲去身上的泡沫，莫名感觉灯光被遮挡，竟有个影子在淋浴间外一晃。最近的屋舍也在二十米开外，祁善心一紧。

“你的道理根本说不通。”门外是周瓒的声音，“习惯性占有怎么啦，你妈不习惯你爸？我有别的兴趣爱好，你打麻将的时候眼里也没我，我不会为这个生气。”

祁善几欲昏厥，他去而复返就为了和她争辩这个。她澡洗到一半，下意识地环抱着自己，换洗衣服和浴巾都在外面的木架上。

“明天再说不行吗？”

“你不想听，我进去跟你说。”

祁善瞬间安静了下来。

“十几岁的时候我怕你不反对别人的撮合只是不想违背长辈的意愿，习惯性顺从罢了。再加上我妈喜欢你，我总想跟她对着干，故意对你不好。后来你不理我了，我很不好受，更不肯让你看穿。其实我和我妈是同一种人，只要事情偏离掌控就会很不安，只是她会抓得更牢，我会有抵触心理。我不是你想要的那种很稳定的男人，玩惯了很难安定下来。但是比起让你走，我愿意拿一辈子来换，这很划算。有时我自己也不知道自己想要什么，只有一件事是我能确定的：你在我身边，我才安心。我不想改变这个习惯，长久的爱情本身不就是根深蒂固的习惯吗？”

淋浴间里只有滴答的水声，周瓒舔了舔干裂的嘴唇，又道：“我浑蛋的地方太多，一下子改不过来，你监督我。放心好了，我怕你走，做不出太出格的事。”

“你现在就很出格。”祁善嘟囔道。她困在淋浴间里，出不来，又不好意思继续洗澡。

她肯说话就好办多了。周瓒坐到造型古朴的洗手台上，语气认真：“再说了，你明明喜欢我，何必跟自己过不去？在这种情况下你嫁给别人太不道德了，我不能让你堕落下去。”

“所以呢？”

“基于你的道德高标准，不跟我在一起，只能单着。你嫁给我的话，退一万步而言，我当真做了让你不肯原谅的事，你最多回到一个人的生活。那我们为什么不在一起呢？这样明显更划算，你至少成全了我，这是善举，会有福报的！”

祁善再度瞠目结舌。

周瓒隔着门看她模糊的身影，她好像徒劳地在里面转了一圈，不知怎么办才好。他的歪理邪说都是被祁善逼出来的，她是个认死理的人，只能用更强大的道理来说服她。她知道怎么克制他，他也有收拾她的办法。

他用手叩门，“小善，想好了没有？”

祁善身上的水滴已经风干了大半，尴尬得无以言表。他好像总要在各种古怪的场合才能袒露心迹，上回是在男厕所，现在是她光溜溜地杵着。

“你先把浴巾和衣服递给我。”她用最冷静的声音道。

周瓒用手钩着她的贴身衣物说：“你先答应嫁给我，我才能做这么私密的事！”

他觉得自己也不算无赖，早有案例在前。董永也是这样才娶到七仙女的。

他们又耗了很久，周瓒的耐心好得很，甚至在外面吹起了口哨。

“周瓒，我很冷。”祁善的情绪已经到了崩溃的边缘。

“那你出来，我帮你焐焐……”

又一阵僵持之后，门骤然被打开，祁善像一股绝望的龙卷风扑出来给了周瓒一巴掌，迅速抽出浴巾裹在身上。

周瓒大笑，说：“小善，你果然不把我当外人。不是先裹好自己再抽我才对？”

“王八蛋！”她破口大骂，身上每一颗鸡皮疙瘩上都昭示着愤怒。

“要不要我在窗前跪着发誓把看到的全部忘掉？”

“独守心，众守口。你别欺人太甚。”

祁善从周瓒手里抢了衣服回淋浴间。

周瓒推开门说：“现在不是众，也不是独。怎么办？我两样都守不住。”

第四十六章

此心安处是吾乡

Chapter Forty-six

到了用早餐的时间，祁善没有依约和父母会合。沈晓星和祁定散步到女儿住的地方。

“丑墨丑山挥丑树，美景美意住美人——常住真心。”祁定念着门口的楹联，悠哉地环视四周，“小善这个院子比我们的小，不过这石头垒的墙和老树错落得很有禅意。”

沈晓星想的是女儿是不是睡过头了。她叩着门环，屋内传来慢腾腾的脚步声。这孩子手机不接，房间电话也打不通，待会要好好说说她，沈晓星暗道。

木门咿呀一声被打开，周瓒站在半扇门后，眼睛都未完全睁开。

“咦，你和小善换了房间？”祁定赏景完毕，回过头正好也看到这一幕。沈晓星没有说话，周瓒身后的衣帽架上有祁善的围巾和外套。

周瓒的上衣只套到一半，一手扶门，心虚地打招呼：“早啊，定叔、善妈。”

“早，早！”祁定和蔼可亲地问，“小善换到几号房去了？”

“呃……”

沈晓星阴着脸道：“去把衣服穿好，大清早露胳膊露腿，也不怕冻死你！”

周瓒掩了门，灰溜溜地缩回房间。

住在最近一座房子里的周启秀也起了，正在院子里做伸展运动。看见老友，周启秀笑呵呵地隔空喊话：“小善赖床了吧，年轻人都这样。阿瓒也没起来，我等下得去叫他。”

“用不着，他在小善房里。”沈晓星说。

祁善洗澡出来，发现周瓒趴在床上，衣服倒穿齐整了。她起来时他还呼呼大睡，怎么都摇不醒。

“你还不走？万一我妈过来就惨了。”祁善将周瓒驱赶下床。半夜她就想让他滚回自己的房间。周瓒吓她说寺庙附近最多游荡的幽魂，祁善无动于衷，他就说自己害怕，死活赖在她身上。

周瓒听了祁善的话，表情古怪得很，“已经惨了。”

“什么？！”祁善嚼出他话中之意，跑到门前又止步回望，大惊失色，“我妈来过了？”

“嗯，你爸妈来敲门，我睡得迷迷糊糊的……现在他们肯定在我爸那边。”

祁善丢了魂一样坐在竹榻上。周瓒过去安慰她：“都知道了倒省事，免得我们开口。”

床头的电话听筒被人搁起，还能是谁干的好事！他明知道房间里手机信号很弱。祁善连打了他几下，哭丧着脸，“我真不该相信你。”

“好了好了，你不嫌手痛，昨晚说过以后不打我的！”周瓒抱住她，有心陪她苦恼，偏偏嘴角的笑意止不住，“我忘了把电话放回去，还不是想让你睡得好一点。”窗外暖阳初至，每一口空气里都是崭新惬意的味道，周瓒心中豁然开朗，只觉得无处不好，就好像昨晚的祁善。他在她身上感知的快乐是凝聚而非消散。

碰面后，三个长辈都没有提及早上的事，祁善在这表面的平静下，眼神依然不好意思和她爸妈相触。倒是周启秀的微笑里有种心照不宣的戏谑，像坐实了身份的家翁端详刚进门的儿媳妇。周瓒呢，他很好地保持了没脸没皮的作风，先是早餐时便紧紧挨着祁善坐，还捡她剩下的半块吐司吃。尽管祁善知道经历了早上那一幕，他们之间的关系基本上已在双方父母心中有了定论，容不得她再摇摆，可她依然不适应周瓒旁若无人的亲昵。去永安寺的路上，他与她并排走着，总想去捞她的手，被她狠狠掐了手背，周瓒笑着呼痛。两人都被沈晓星呵斥："闹什么，不懂事。也不看这是什么地方！"

有别于隔壁名刹的香火鼎盛，迄今也有一千六百年历史的永安寺显得幽深而清静。禅院建在山顶，他们踩着落叶拾级而上，一路只见三两个信徒，偶有鸟雀振翅，很快隐没入层峦叠翠的山谷中。石阶平直漫长，仿佛没有尽头，每天坚持锻炼的沈晓星和祁定腿脚灵便，很快把其他人抛在身后。周瓒从半山腰起搀扶着周启秀，把他送到山顶，又折返回来找祁善。

他笑话气喘吁吁的祁善，"谁叫你平时不爱运动？体能太差劲了。"

祁善连跟他说话都嫌费劲，瞪他一眼，"跟你有关系吗？"

"当然有。"周瓒弯腰把脸凑在她面前说："看你还犯懒，动不动喊累。"

四下无人，他胆子更大，就差没贴着她的面颊说话。昨晚也是这样，只要不是喘息，他的嘴就紧紧黏着她、含着她，不一定都是深吻，只是想无限贴近，享受呼吸相闻的亲近。两张面对面说了二十几年话的嘴不留一丝缝隙是种极其复杂的体验，祁善以前不知道亲吻也是力气活，人类居然可以有那么多表达狎昵的方式。当她陷在紧张和不适里，一直往外推他，他转而去轻吻她胸前那块玉，还惊讶地说："这块玉上怎么多了一条裂缝？"祁善一听也顾不得别的，忙撑起身来看："哪里哪里，我没看到。"寻找的过程她一时松懈，周瓒奸计得逞。

他做了很多事，也说了很多话，祁善一度想让他闭嘴，可又抵不过他满脸通红的脸上满溢的快活。直到屋外小径上传来扫地声，他上一秒还在叨叨，下一秒才筋疲力尽睡去。

“累的话今晚我们悠着点。我在这方面向来丰俭由人。”周瓒暧昧道。

祁善骂他：“你不怕遭雷劈！没听我妈说，这是什么地方？我们今天来干什么的？不斋戒沐浴就算了，你尽想那些乱七八糟的。”

她高估了他，还以为这几天他会有所收敛。想不到任何变故打击、唏嘘往事，甚至佛门圣地在侧，都抵挡不了他乘虚而入的决心。

“你妈说什么没用，这是我妈的地盘。”周瓒没有半点心理负担，“她没准正乐呢。”

祁善没休息好,在爬山过程中快要爆炸的心脏几乎禁受不起多余的刺激。她张开五指将周瓒的脸推开，还有百余级台阶，山门在望。

“真有那么累？我背你。”周瓒逗弄她的目的达成，用手顺了顺她的背。

“四十年后你再背我也不晚。”祁善说。

周瓒听她默认四十年后他们还在一块，笑得开怀，“四十年后我背不动你了。少啰唆，上来。”

他弯腰等着她，祁善上了一级台阶，他又把她拖回来。祁善喘着粗气笑了，消耗消耗他的体力也好。

周瓒背着祁善往上走，“我现在能打几分？”

祁善脸一热，他还是揪着昨晚的事不放。凌晨他完事了，追着问：“小善，我……好不好？”祁善只想睡觉，敷衍说“还行”。周瓒很不满意这个答案，非要她解释“还行”的意思。祁善诚实道：“开始难受，后来太累，中间尚可。79.5 分。”

周瓒半撑起身子像看一个怪物，她让他想起初中时的语文老师，一板一眼，严苛之至，仿佛多给他作文打一分都是天大的恩赐，还总喜欢用鼓励的口吻鞭策他，“小子，再接再厉！”

他卷走祁善的被子，说：“客套问问罢了，你还打上分了。”

祁善无辜又无奈，“明明是你问我的。”

“你不想夸我，害羞地笑一笑不行吗？我会追问你到死？”周瓒计较得很，“79.5分！”

“本来有80分，如果你不叨叨的话。”

“你的评分体系大有问题。”

祁善急着要回被子，安慰道：“比以前好。”

她第一次在他面前主动提起“从前”，不再咬紧牙关坚称“什么都没发生”，横亘在两人之间多年的坚冰消融起来也是瞬间的事。周瓒面色稍霁，心中更是安定。他不必再执着于从前，哪怕现在也不完美，怕什么，他有明天在手，日子还长。他把祁善罩进被子里，过了一会又问：“以前不可能没及格吧……”

石阶陡峭，背着人行走不易，周瓒把祁善的身体往上颠了颠。他像是感应到她的赧然，真有意思，她耻于和他讨论细节，逼急了却将他的评分精确到小数点后一位。然而这正是周瓒所熟悉的那个祁善，他的善夫子。

“我们真蠢，白白浪费那么多年。要是能早一点开窍，我们的孩子都打网游了。”周瓒边走边说，“别人是罗密欧和朱丽叶，我们是祝英台和马文才。家里越看好，我们越折腾。为反对而反对，想想挺可笑的。”

祁善想了想，“最早反对的人可不是我。”

周瓒笑道：“所以我是祝英台，你是恶少马文才……算你有点良心。本来我还想，这次你再不答应我，我就在山上做和尚了。一定会招来很多女信徒。”

“谁要你这个花和尚，我什么时候答应你了？”祁善拒不承认。

周瓒的笑声震颤着两人身体相贴的部位，“这回大家都看到我被你占了便宜，你还想赖账，别说你妈会收拾你，我妈也饶不了你！”

祁善不理会他。禅院里传来悠长的钟声，她嘘了口气，把头靠在他肩窝，他似乎想转脸看她，犹豫片刻，只是将她背得更稳。

祁善在心里对自己说，做一天和尚撞一天钟。她爱他所以决心放任他，如果有一天没了周瓒，她恐怕会难过得像死了一回。可那到底只是一种修辞手法，她并不会真的死去。随着时间的推移，她会从伤心欲绝变为想起时才伤心、偶尔伤心、不那么伤心……总有一天她会痊愈。周瓒是祁善的毒，她并不是没有戒断过。她有工作、有积蓄、有爱好、有很好的父母、有对寂寞强大的耐受力，有他自是欢喜，没他也知足，大不了一切归零。既然她承受得起最坏的结果，有他时的每一刻欢愉就当是赚了。

周启秀取了冯嘉楠的骨灰，在一旁对住持和看护往生殿香火的僧人称谢。沈晓星对着冯嘉楠灵牌上的照片，隔了那么久，她还是无法适应自己最好的朋友成了一捧灰和一张照片。当初若不是她一时兴起，将嘉楠带到周启秀面前，或许他们尚能各自安好，至少还活着，有痛有笑。她坐在蒲团上，像当初和冯嘉楠并坐于图书馆的台阶上聊着少女心事，“我到现在才来看你，你不会生气吧？我替你照顾你儿子，那浑小子倒把我女儿哄走了。”

周瓒和祁善走了进来。沈晓星笑笑，继续对好友低念：“阿瓒和小善多半要在一起了。你从前说我们要做儿女亲家，你比我聪明，也比我看得准。他们会好的，我会看住他们，连你那一份也算上。”

沈晓星起来时，祁定就在她身边，自然而然地搀了她一把。他怕妻子伤感，转移话题道："我刚才看到阿瓒背小善上来，动手动脚的，我这个岳父还没答应呢！"

"那你上山前还说要画一幅《鸾凤和鸣》送给他们做新婚礼物？"沈晓星无情戳穿他，祁定呵呵笑了，他眼角的纹路真切地映在她眼里。他们都在老去，少年时耽于梦想，盛年时为事业、为孩子、为老人奔忙，人的一生似乎只有暮年的时光才属于自己和身边的伴侣，别的都在远去，他才是最真切、最重要的存在。

周启秀在很久以前在永安寺附近购入了一片茶林。他曾想等他和嘉楠老了，就在这里盖栋小楼共度余生，结果是他亲手把她的骨灰葬在茶树下。他们没有惊动旁人，也没什么仪式，亲人骤逝的锥心之痛也长不过三年五载，更多的凭吊是出于习惯与自我慰藉。活着的人不敢忘却，然而逝者或许先把他们给忘了。

周瓒一直扣着祁善的手，他的拇指有点毛躁，抚摸过她手背的皮肤，有微微尖锐的触感，不疼，存在感很强。祁善默默回握他，周瓒朝她笑笑，不知刚才在想什么，眉宇间有罕见的怔忡。祁善还注意到，阿秀叔叔瘦了许多，步入中年后更有魅力的他此时看起来竟比她爸爸还显出老态。他十分平静，像做一件在心里重复了千百遍的事，从容坦然，只有往骨灰盒撒土前磨蹭照片的姿态如热恋的情人般温存。

祁善来之前问妈妈，阿秀叔叔为什么选择这么遥远的地方安葬嘉楠阿姨。沈晓星告诉她，这是周启秀和冯嘉楠热恋时第一个同游之处。他们那时一定是快乐的，风华正茂，爱得刚好。即使后来有了憎恨和痛苦，最终留下来的仍然是最值得眷恋的片段。

祁善行走在永安寺里，曾听做早课的僧人低诵——爱为网，为胶，为泉，为藕根，能为众生障。为盖，为守卫，为覆，为闭，为塞，为暗冥，为狗肠，为乱草，为絮。从此世至他世，从他世至此世，往来流驰，无不转时……

爱什么都不是，又什么都是，不过是求个寄放之所，此心安处即是吾乡。

第四十七章

厌倦说抱歉

WE

Chapter Forty-seven

从永安寺回来不足半月，有调查组进驻周启秀公司，他和子歉都在被调查之列。父子俩是同时被“请”走的，几天后，暂时脱身的只有子歉。周启秀几乎揽下了所有的事，子歉只是执行者，并不知悉公司内幕。

子歉试图于公司账目上亡羊补牢，周瓒四处奔走，想的却是让父亲先出来再说。然而周启秀与老秦牵扯太深，身边的朋友唯恐卷入其中，都不敢妄言妄动。周瓒想方设法也只见了周启秀一面。

周启秀的健康状况令人生忧，出事前他的胃就不太好，如今身不自由，寝食无常，整个人像迅速地被风干。周瓒听周启秀身边的调查人员提起，他几乎吃不下东西，希望周瓒这个做儿子的能劝着点。周启秀对周瓒说自己只是肠胃不适应，其余一切正常，心态也平和，调查组的询问他该配合的都配合，还反过来劝周瓒不要过多地管他的事，照旧过自己的生活。

子歉从周瓒那里听说周启秀的近况，他没见到二叔，周启秀不让。子歉和周瓒不同，周瓒成年后远离周启秀的事业，公司的事他不沾染也不过问，在外虽混得不上不下，没什么拿得出手的成绩，但他是彻底干净的，这也是周启秀心中所愿。子歉犹如周启秀副手，尚且不知能否全身而退，周启秀怎肯让他再卷进旋涡。

火烧般的煎熬让子歉没有一夜能安眠，他见了几批律师，收到的反馈都不乐观，只要老秦的事无可挽回，周启秀难脱干系。所有的建议无不指向让周启秀抓住时机，主动交代，争取减轻罪责。子歉通过律师隐晦地向周启秀递话，要他万事以自我保全为先。

子歉和阿珑确定关系后，常在二叔身边多有不便，平时大半时间住在外面的公寓。他回公寓取东西，开门进去时，分明是白天，室内光线昏暗，客厅窗帘低垂。开灯前子歉已心中有数，果然，沙发上窝着人，是几日不见的阿珑。

“你来了。”子歉看清阿珑时脚步一滞，很快又走进房间，“我最近会有点忙。”

阿珑坐起来，声音散在有些空荡的客厅里，也不知子歉是否能听见。

“是最近忙，还是今后我都见不到你了？”

子歉在卧室里匆匆收拾东西，故意不让自己有停顿下来的空隙。他不敢看阿珑憔悴的样子，也不想听她说话。她哪经受过这样的变故，说是天塌了都不为过。子歉可怜她又恨她，他们本可以没有交集，不必相互看着对方痛苦。

“你连我为什么在这里也不问吗？”阿珑走到卧室门口。过去的几个月里，她毫不怀疑自己是这所房子的女主人，屋里的各个角落无不烙上她的记号，如今这里成了暂时的避难所。她不敢留在以前的家，短短时间内她的底细被人扒得一干二净，从前和善的街坊现在看她的目光里也充满了鄙夷，好像人生中所有的坎坷和不平都是拜她家人所赐。她爸妈一直都很忙，平时也很少在家，可她不会像现在这样，一睁眼便强烈地意识到只剩下自己一个人了。

“你可以留在这里，只要你愿意。”子歉提了个简单的行李包走出来。

阿珑看出他要走，“哇”地哭出声来，“周子歉，我是你什么人？”

子歉背对着她，狠心道：“我还有事，你可以在这里好好睡一觉。”

“你当然有很多事要做。我爸妈、我舅舅，就连我家的司机都被人带走了，我未来的丈夫在想方设法撇清和我家的关系。”阿珑咆哮着，她在子歉身边总是小鸟依人的模样，第一次用这种态度对他说话。

子歉脊背僵直，语气平淡：“以利相交，利尽则散。难道非得让所有人都栽进去？”

“我们只有‘利’吗？”阿珑痛哭，“你二叔是人，我也是人啊！”

“对不起，阿珑。”子歉喉咙发紧，长痛不如短痛，连阿珑也清楚，二叔才是他最重要的人，重要到让他无暇顾及其他。看清他的为人，她或许能走出迷障。

“想保你二叔没那么容易。知道我爸送我的二十四岁生日礼物是什么吗？他早料到有今天，生怕你对我不好，要我万事留一手，我还骂他多疑。你二叔尽管去争取宽大吧，我手上的证据也足够让他在牢里安度晚年，连你都休想摆脱干系。从我们在一起的那天起，你就该想到，我们谁也离不了谁！”阿珑一边放着狠话，一边孩子般哭泣。

子歉甩门而去，听到屋里隐约传出一声号啕。

针对周启秀的调查问讯被迫中止。他一日晨起作呕，身边的人发现洗漱盆里全是血。很快他被送往医院，几天后，检查结果出来，胃癌晚期。周瓒和子歉疑心他早有预感，他早早安排身后事，不是畏惧牢狱之灾，而是怕自己身体难以为继，死在囹圄之中。

“万般皆是命。”这是周启秀确认自己的病况后对周瓒说的话。他有过一丝苦笑，随即就如他安葬冯嘉楠骨灰时那样，坦然待尘埃落定。

周瓒作为儿子陪护在周启秀病床前，这似乎是他们父子俩这辈子最亲近的相处。周启秀毫不在意公司的事，关于他的调查结论更显得无关紧要。他光顾着每天支使周瓒，有时嚷着要吃老家特有的一种炸鱼饼，哪怕现今已鲜少有人卖这个。有时他又会忽然想看某本冷僻的化工专业书籍或是某张旧照片。他厌恶穿医院的病号服，常指明要自己喜欢的衬衫，空荡荡地套在骨架似的身上。偶然心血来潮，周启秀想起一个许多年没见的儿时朋友，周瓒听都没听说过那个人，还得想方设法地去联系。他们父子俩一天一个花样，一个想到什么就要什么，一个不知疲倦地替他找来。这些琐碎且看似无关紧要的事填补了镇痛剂过后的清醒时光，也覆盖过消毒水气味里的绝望气息。

这时的子歉却有一种近乎天真的执拗，他拒绝亲眼看到周启秀一步步被死亡带走，他受不了。他在剧烈的哀痛中瑟缩、远离，仿佛这样，二叔永远如他在乡间眺望时所见，有着宛如青年人的英俊、中年人的温和和老年人的睿智，时光与病痛不可侵蚀。子歉将自己全部的注意力投注在工作里。调查期间，公司账户冻结，几个在建的重要项目也被迫停工，上自管理层，下至基层员工无不人心惶惶，传言满天飞，银行高层一再示警。他不愿放弃公司，哪怕做徒劳的努力，那是二叔一辈子的心血，不能就这么付诸东流。

秦家的老保姆连续数天给子歉打电话，说阿珑的状态很糟糕，哪怕子歉去看她一眼也好。子歉答应了，他和阿珑的事他亲手开启，也该亲手了断。

阿珑在乡下的外婆家休养，子歉依照老保姆的指引找到她时，她在水库旁钓鱼。阿珑的钓鱼水平得自老秦的真传，子歉也比不上她。

浮标在水里漂荡，鱼竿在阿珑手中，人却在折叠靠椅上睡着了，曾经肉乎乎的小圆脸如今最醒目的反而是尖下巴，眼角泪痕未干。子歉蹲在阿珑身边，水风清寒，他替她把膝盖上的薄毯子往上拉了拉，她没有醒，嘴唇微翘，是过去爱娇的模样。

阿珑做过子歉的女人，最切实的一个。他答应和她在一起时，她环着他一直跳，如果力量足够，她恐怕会将他抱起来转圈圈。她高兴、悲伤、热爱和憎恨都用最直接的方式表达。子歉何尝没有被阿珑的娇憨打动过，她说“周子歉，我要给你生孩子”。他甚至想，最好要是个女儿，像她才好。他也会是老秦那样的父亲，把女儿保护得无忧无虑，无路可退时仍不忘给她留条后路，只要她想要，就替她得到。

他们从哪里开始走错的呢？从他开车刮倒她，还是在百日宴的游泳池里将她捞起来？子歉慢慢起身，退到阿珑身后，恶念是在前一秒冒出来，夹带绝望瞬间占据了他。他已厌倦向任何人说“抱歉”，错就错吧，他生来是错，至少能将其中一个错了结。

阿珑毫无防备地栽入水库，没有激起多少水花，那响动还不如折叠椅落地的声音。子歉退后两步，脸上有种疯子般的平静。阿珑似乎在水下挣扎，他看不见，却知道她此刻在下沉，随之下沉的还有他身体某个温软跳动的部位。她是唯一不顾一切、不问因果去爱他的人。子歉不肯承认，但他知道占据二叔心中最重要角落的人始终是冯嘉楠；他的生母有新的家庭和很多孩子；祁善是周瓒的；青溪爱钱也爱安稳……只有秦珑爱周子歉。

子歉发现自己眼角冰凉，在他思绪觉醒之前，身躯已奋然跃入水中。他找到了阿珑，捞起她，紧紧把她抱在怀里，像环抱着他最后的温暖。

阿珑在肺部火辣辣的感觉中恢复意识，刚才恐怖的记忆回到脑海，她开始连呛带哭，然后看到子歉放大的脸，像做梦一样。他也哭了，哭中带笑。是喜极而泣吗？

“我知道你会来救我的。”阿珑全身都在颤抖，她投进子歉怀里，用力得快要钻进他的心。

听说阿珑因为落水住进医院观察，周瓒和祁善去看望她。她不厌其烦地对他们说起自己打瞌睡掉进水里的狼狈笑话，幸亏子歉赶来及时，否则她已经成了水鬼。阿珑说子歉是她的福星，也是她的大英雄。

祁善原本也没把自己与子歉的分手原因完全归咎于阿珑，和周瓒在一起后，她对阿珑更无芥蒂。阿珑最近过得不易，上一回住院，她床前床后全是别人送来的花，探视的人络绎不绝，现在除了子歉和老保姆，再无人管她死活。阿珑拉着祁善滔滔不绝，可是周瓒下午约了设计师看新酒吧的设计图，祁善要替他去陪阿秀叔叔，他们不能久留。

离开前，阿珑拍着胸口庆幸道："祁善姐，你要是没跟周瓒好，我真不敢见你们了。你不知道我松了多大的一口气，做坏人的滋味不好受。"

周瓒嗤笑一声。祁善对子歉说："让她少说电话，对喉咙不好。"

子歉点头。

阿珑嘴巴偏关不住，又朝周瓒挤了挤眼睛，"对了，我还要谢谢你呢！"

祁善听不懂这话，没来得及问就被周瓒拉走了。

房间里又静了下来，值班医生过来巡房，说阿珑没什么事了，下午就可以出院。阿珑顿时轻松，对子歉笑道："你可以回公司了。"

他说："好。"

"周子歉，我给你半天时间考虑。"阿珑语气轻快，"在出院前你甩了我都来得及。我爸我妈不知道会判几年，我什么都给不了你，还会拖累你。你看，你又救了我一次，我们两清了。我绝不会伤害你，也不会伤害你的家人。"

子歉皱眉道："你的话确实太多了。"

他去给她热汤，阿珑用力地按床头的召唤铃，哑着喉咙大声喊："护士，护士，我现在就要出院！"

子歉说："我明天去二叔那里，你愿意的话也可以去看看他……不想去也可以，就在家等我。"

他走出病房，可房间里还留有淡淡合欢花香。子歉毕竟是男人，对小节之处并不敏感，阿珑却有个嗅觉灵敏的鼻子。无论是子歉的公寓还是他在周启秀家的衣帽间里，都有阿珑放置的合欢花香氛，她喜欢这个味道，也想用这味道在他身上悄悄打下自己的烙印。

那天阿珑哭困了，打了个盹，可子歉走到她身边时，她已有了知觉。即使没有睁开眼睛，但阿珑知道是他，女人对自己深爱的人有天生的直觉，况且还有他衣服上带着的熟悉味道。

子歉疯了，阿珑陪他一起疯。可他若清醒，她愿用一个谎言换两人相依白头。

第四十八章

另一种成全

WE

Chapter Forty-eight

周瓒走进祁善房间，她正在台灯下和几份外文合同做斗争，听到脚步声也不回头，“这么晚还过来？”

周瓒累得半死仍不忘占便宜，凑过脸去想啃她一口，差点被她脸上白惨惨的面膜把魂吓丢，靠在一旁扫兴道：“大晚上的，我还以为闹鬼了。”

祁善没有反应。周瓒闲不住，一会翻翻她手边的词典，一会用手指粘了她脸上糊的那层东西来研究，又拱到电脑前看她的进度。

“走开走开。”祁善将他的屁股从书桌边缘扫了下去。

“几页合同罢了，又不是翻译什么世界名著。”周瓒不以为然地说。

“亏你还在英语国家待过几年，‘几页合同’也假手于人，我都替你丢人。”

“那些术语我看了头疼，我的事不就是你的事？”

“你找别人来做多少付点工钱。我一个子儿没收，还要听你废话。”祁善瞪了他一眼。

周瓒手搭在她肩上，笑嘻嘻地说：“谈钱伤感情，对你，我可以肉偿。”

这话说出来如石沉大海，祁善专注于手头的事，过了十来分钟才舒了一口气，脸上的面膜也该洗了。她发现周瓒四仰八叉地躺床上，不由得警示道：“上回没被我妈骂够？”

“他们早睡了。”

周瓒如今名分已定，往祁善家跑的理由更充分，若不在医院过夜，三天倒有两天住在她家。沈晓星不让他们结婚前太明目张胆地腻歪，有一次又撞见周瓒早上从祁善房里出来，她把两个人都训了一顿，命令周瓒老老实实睡在客房，否则滚蛋。

沈晓星是少数能镇住周瓒的人，周瓒明里收敛了许多。但酒吧开业在即，周启秀的病一天比一天严重，他忙得心力交瘁，好不容易赶回来，与祁善深夜独处，难免心痒。

“阿秀叔叔换的新药管用吗？”祁善问。

周瓒摇头，“今天只醒过一次。对了，周子歉说以后他跟我轮流在医院陪护，免得老头子醒来有话说却找不到人。阿珑下午也来了，周子歉现在还打算娶她，倒让我有点意外。”

阿珑上周因为落水进医院，周瓒感到蹊跷，她好像和水杠上了。然而事不关己，他懒得过问。

“阿珑那天为什么事谢你？”祁善想起了这件事。

周瓒后悔提起阿珑了，他说：“还能为什么？我亲自去医院探望她，她能不感动？”

“放屁！”

“你是知识分子，说话注意影响。”周瓒换了个说法，“大概是她和朋友去餐厅吃饭我给她免单了。”

阿珑有心思跟朋友出去吃饭也不知是多久以前的事了。祁善让他从床上下来，“衣服也没换，脏死了！快回你自己的房间。”

周瓒料到他不给出一个足够令人信服的答案今晚别想省心，干笑说:“我给了她一点‘小小建议’，关于周子歉的。”

“有多小？”

“也没什么，我就告诉她，周子歉不喜欢女人太冷淡强横，还有……白酒红酒他都不怕，唯独喝不了黄酒。”

祁善细想这几句话的意思，忍无可忍骂道：“周瓒，你真缺德！”

“我的德都给了你，我们是德艺双馨的一对。”周瓒溜进洗手间。

祁善坐了一会，脸上的面膜全干了。她进去洗脸，周瓒正在洗澡。

“非礼勿视！”他提醒她。然而祁善做完最后一道护肤流程也没多看他一眼。

周瓒出来后不忘批评躺床上看书的祁善，“你的道德标准里没有‘尊重他人’身体隐私这一条？”

“好吧，对不起。”祁善干巴巴地说。刚说完，书被他抽走，她这才无奈道：“你先把裤子穿上再说吧。”

“别看了，书哪有我好？”周瓒挤在祁善身边，故意压住她的头发。他喜欢她头发披散的样子，躺在上面，像被包裹在一个安全而舒适的丝茧里。他举高书本，不让祁善来抢，怪腔怪调地念着其中的一段：“‘我送你：早在你出生多年以前一个傍晚看到的一朵黄玫瑰的记忆。’什么呀，语句不通。”

“你这种作文不及格的人懂什么？把书给我。”

“喊！”周瓒把书丢到书桌上，人也翻到她身上，“我也可以说：我送你发现以前28年的惦记。是不是更有水平？”

祁善的心在他信口胡诌的话里莫名一动，人也软了下来，“你惦记什么？”

“嘘，再拖下去你爸都要起来晨练了。”周瓒喃喃道。

“我知道了，你光惦记着见缝插针地做坏事。”

“祁善，把话说清楚，谁是‘针’？”

周瓒没有如期回到自己的房间。他如愿后搂着祁善，手一下下地绕她的头发，许久也没能睡着。祁善早觉得周瓒今晚心里有事，他不说，她就等事情自然过去，然而现在看起来他心里还是揭不过去。她转过来面朝周瓒问："是阿秀叔叔更不好了吗？"

"不是，我爸的病不可能更糟了。"周瓒的额头与祁善相抵，叹了口气说，"是隆兄。他在看守所跟人打了一架，伤在头上，当时就不行了。"

祁善出不了声。她对隆兄谈不上好感，有时还把他归在周瓒的狐朋狗友之列。但毕竟相识多年，那么活蹦乱跳的一个人忽然没了，换谁心里也不好受。隆兄性子暴烈又不拘小节，与行走的定时炸弹无异，以往别人看在他姐夫分上对他多有忌惮，一朝虎落平阳，祸事也找上头来。

"只是打架？"祁善不敢往深处想。

周瓒摇头，"我不知道。他进去前找过我一回，说万一他短时间内出不来，让我替他做点事。可他一定没想过会死在里头。"

祁善陪他长时间静默。

"他交代的事里有一件是让我打发魏青溪走。她住的房子被封了，用的是隆兄的副卡，现在都废了。我给了魏青溪一笔钱，她当时的样子……唉，她也算隆兄最后一个女人。小善，你知道我心里怎么想？比起别人，我真他妈走运！"他比她高许多的身形就这么蜷缩在她身前。一整天周瓒都盼着这刻，大半夜也要赶过来，他还可以在她的温热身体里，呼吸相闻，四肢交缠，哪怕明早上会被善妈骂得狗血淋头，这都是他看得见摸得着的归处。

"嗯。"祁善摸着他后脑勺的头发。他的人有点坏，可他的爱不坏。

周启秀从入院到离世，前后只用了三个月。周瓒开始想找最顶尖的医生，用最好的药，能多留他一天是一天，可后来周瓒想通了，让他安然地走才是一个儿子应尽的孝心。

该安排的事周启秀都已尽力，其余的只能交给老天。后来那些日子他几乎都在深度昏迷中度过，当他再一次神志清明，大家都知道已到了诀别的时候。

周瓒把父亲最后的时间单独留给了子歉。子歉跪在床边，周启秀朝他微笑，“我能留给你的不多，但阿瓒有的，你都有。”

进来之前，三叔在病房外埋怨子歉不会替自己争取，公司现在只是个烂摊子，周启秀的私产尚未解封，今后也不一定躲得过追偿，他没有冯嘉楠这样的妈，总得早做打算。可等到周启秀一开口就说了这样的话，子歉心里像被人重重敲了一锤。

“二叔，我要的不是这个。”子歉哽咽道。

周启秀低语：“我知道，我知道，你是好孩子。”

子歉几度张嘴却无声——我从来不是什么好孩子，我只想做你的儿子。然而周启秀的眼皮已慢慢垂下，子歉没法再等，否则这辈子都不会再有机会。

“爸爸……”子歉哆嗦地喊出了这一声。他不知道病床上的人究竟听见了没有，周启秀的呼吸极其微弱。子歉死死抓着周启秀枯瘦的手，不能就这么结束，他还没等来一次回应。

“我对不起你。”良久，周启秀再次发声，几乎微不可闻。

“我不怪你，爸！”子歉把额头贴在周启秀枯瘦的手臂上。

“你说要我后悔一辈子，我也做到了，我什么都顺着你。”

子歉愕然抬头，周启秀回握他的手，却再也无力出声，子歉只能从他嘴唇的张合勉强分辨出他最后说出的两个字："嘉楠……"

周启秀的手无力松脱，子歉委顿在地，连痛哭都无能为力，紧闭双眼，眼泪无声垂落。

头七过后，子歉和周瓒将父亲的骨灰送往永安寺后的茶林，紧挨着冯嘉楠下葬。由于阿珑怀孕了，早孕反应激烈，子歉第二天就赶了回去。祁善没有上山，她在酒店等着周瓒。周瓒故意又安排了他们当初住过的房间。他说"常住真心"这个横批很妙，但"美景美意住美人"里面的那个"人"指的是他自己。

周启秀还清醒时就再三嘱咐过，不需要任何人替他守孝，日子一切照旧，该办的事要尽早办妥。周瓒和祁善的婚事也在周启秀和沈晓星夫妇最后一次谈心时被敲定下来，过完年就办婚礼。

"三叔到处说我们家的日子过得乱七八糟，哪有当爹的死了儿子赶着结婚的。想不到周子歉那边连孩子都有了！"周瓒幸灾乐祸。

他们在酒店附近溜达，周末的景区游人熙熙攘攘，周瓒最不耐烦这些，可祁善拖着他的手。也对，他们按理还在热恋中，为什么要时刻表现得像认识了一生一世——虽然他们的确如此，可别的情侣能做的，他们也能做。

祁善走着走着，忽然抿嘴笑了，"你说，阿秀叔叔什么俗礼都不拘，为什么偏要我每年陪你来扫墓？"

"你真不知道？他是怕以后我们有矛盾闹崩了。每年你都得陪我出来一趟，大家还有个台阶下，不至于落到老死不相往来的地步。"周瓒说，"姜还是老的辣！"

"他还是最疼你。"祁善轻叹道。

"我跟你说件事。"周瓒扯下路边的一片树叶，在手里折来折去，"我打算把我爸留下的东西和我手头上的股份给周子歉，反正我没管过公司的事，也管不了，剩下多少都算他的。以后能来往就来往，不见面也无所谓。他有家有口，阿珑又是过惯了好日子的人。”

祁善瞥了他一眼，“你不是过惯了好日子的人？”

“我混得再差还可以回家吃你的软饭。”周瓒调笑，“你的嫁妆一定不少。实在过不下去我们就卖我妈的首饰，反正现在也在你手里。什么都卖光了，估计我们也老了，到时你用退休金养我。”

“败家子。你轮不到我养，我妈活着一天就饿不着你。”祁善面无表情道。沈晓星对周瓒骂归骂，心里一直把他当儿子，现在还添了女婿的光环。以前周瓒是没妈的人，祁善要让着他，现在他没爹没妈，她还能说什么？

周瓒笑话祁善，“谁让你不如我呢？”

子歉说过，周瓒不过是命好罢了。周瓒从不否认这点，最好的东西从一出生起就在他身边。所以他想通了，也无须和子歉计较别的。说到底周瓒也没多恨子歉，就好像讨厌一种牛奶，不会想看到它的盒子，过去子歉只是周瓒厌恶周启秀风流的载体，可现在他连牛奶都喝下去了，又怎么会跟盒子过不去？

天气晴好，还有一丝惬意的风，祁善心情不错。她驻足看景区里的石刻造像，300余尊菩萨造型各异。周瓒不感兴趣，在附近游荡，有两个年轻漂亮的女游客跟他搭讪上了，站在小卖部门口聊得如火如荼。

“晚上我们去游湖，你……”其中一个女孩芳心雀跃，试探着问道。

周瓒一回头，祁善不见人影。他绕了石峰一圈，在某个洞里找到了她，手里拿着个山寨望远镜对着高处的佛龛看不停。周瓒气愤道：“有完没完，我肚子饿了。”

“你坐着等我两分钟。”祁善指着洞穴里凸出的一块石头说。

周瓒扫了一眼那块灰突突的石头，“凭什么我要坐在这里，外面有人约我去游湖我都没去……女的，两个！”

“小心我给你做猪油拌饭，吃胖了你就没那么多花花肠子。”祁善说。

周瓒把她拖了出去，“猪油拌饭是道功夫菜，想要做得让我心甘情愿吃下去可不容易，你差远了，先把蛋炒饭做好。”

他们四处找地方吃饭，周瓒脑子里闪过一件事，“猪油拌饭是谁跟你说起的？”

“是你妈。”祁善说完赶紧解释道，“我没骂你啊！”

周瓒释然，难怪这口吻他听来耳熟，“别跟我妈学。”

祁善想起合葬在茶林里的嘉楠阿姨和阿秀叔叔，“嘉楠阿姨最后还是在你爸身边了，不管她愿不愿意。”

周瓒“哼”了一声，表情古怪。

祁善很熟悉他这个表情，问：“你又干了什么好事？”

周瓒迟疑道：“我妈的骨灰盒里是香灰。”

“那你妈呢？”

“我把她倒河里了！”

周瓒抓着祁善直指他面门的手，“我妈不会想跟我爸葬在一起的。我了解她，你也清楚她的为人。”

祁善的手有点抖，偏驳不倒他。嘉楠阿姨说过，她或许忘不了阿秀叔叔，但到死也不会原谅他。她是言出必行的人。到死也不原谅是什么意思？生不同衾，死不同穴。

“还有什么是你做不出来的？”祁善无力地收回手。

周瓒对她咬耳朵，“放心吧，我爸他不知道。”

这算不算对他俩的一种成全，祁善也有些糊涂了。周瓒见她神色黯淡，扯了扯她的头发，“所以我们要好好的，给他们活出一个榜样！”

祁善翻了个白眼，“你刚才还想去游湖。”

“我的心其实比你想的稳定，不信你拿出来看。”周瓒作势拉着她的手往胸口放。她扯开他的衣领，探了半个头进去，严肃道：“看不见。”

原本打算吃大餐的周瓒决心填饱肚子就回去，他勾着祁善的肩，和蔼可亲地说：“没关系，等下回去慢慢看。”

尾声

我们之间的事

WE

The End

阿珑怀孕三个月，子歉陪她去医院做例行产检，意外遇见了肚子已凸出的青溪。阿珑的手抠进了子歉的肉里，子歉过了片刻才缓过来，拍了拍阿珑的背，“乖，你去那边等等我。我有几句话跟她说。”

阿珑坐在远处，眼睛却望向他们。

“是他的孩子？”子歉说罢，觉得自己这句话实在多余，做准爸爸以后他对女人的怀孕周期也有所了解，这孩子只能是隆兄的。

青溪低头轻抚着肚子，“别这么看着我。我留下这个孩子，都是看在钱的分上。”

她胖了许多，少了曾经那种野性娇俏的美，显得平凡又柔和，因而与她此刻挂在脸上的冷漠显得极不相称。

隆兄刚被人带走，青溪已做好了卷铺盖走人的打算。房子和银行卡不属于她，但他送的奢侈品和屋里的东西尚能变卖。她什么都准备好了，只是想拖到搬房的最后期限。外面什么都很贵，能省一点是一点。就在这个时候周瓒来找她，告诉她隆兄的死讯，还捎给她一笔钱。

过去隆兄曾在青溪面前吹嘘，即使她以后不跟他，他也会保证她安稳度日。青溪只是笑笑，他向来爱说大话。她没爱过他，不过是一场交易，他回不来，她就会把他忘了。可现在他死了，青溪才恍然想起，他待她一直不薄。除去衣食无忧的保障，上次她深夜阑尾炎发作，是他把她送进医院，他还肯慷慨解囊为她父亲修坟，因为她想学画画他就去找了美院的教授来开小灶……直至自身难保，他仍给她留条后路。

钱是隆兄最不缺乏的东西，也是他对青溪最廉价的赠予。青溪想说这算不了什么，然而闭上眼她竟想不起还有谁比隆兄对她更好。他死了，她又成了无处可依的山村姑娘，这个城市每一条道路每一盏灯光都与她无关。

一周后，青溪给周瓒打电话，她发现自己肚子里有孩子。这并不是她头一回怀孕，隆兄要是活着也会让她打掉，这在过去并没有什么大不了。

周瓒沉默许久，似乎在判断她话里的真实性。他和身边的人耳语了几句，最后对青溪说，一切的决定权在于她。她还年轻，没有人会责怪她替自己打算。如果她把隆兄的孩子生下来，他也给不了太多保证，但至少不会让朋友的遗腹子挨冷受饿。

“我还能为你做什么？”子歉垂首问道。

他也变了，然而青溪说不出哪里不同。他不是记忆里那个无忧无虑的野小子，却也不再是深夜给她打电话那个隐忍而痛苦的男人。

青溪笑笑：“忘了我以前做的傻事。”

他点点头。

这就是他唯一能为她做的。她已不在乎他的悲喜，他也不会为她的话而困扰。人总是清晰记得自己病倒的那一天，什么时候痊愈的，反倒不知不觉。

青溪拿着检查结果走了，子歉回到阿珑身边。阿珑脸色煞白，揪着子歉的衣摆问：“那是不是我小舅的孩子？”

子歉握紧她的手当作回答。阿珑当场哭了。她爸爸这辈子可能也出不来了，妈妈判了十五年，小舅舅走得太突然太突然……但老天给了一线希望。

婚期将近，祁善忙着写请柬。婚礼的大事小情都由沈晓星操办，祁善和周瓒一个懒管俗事，一个乐得清闲。手写请柬成了唯一落到他们头上的

“重任”。

周瓒在一旁打游戏，不时瞄她一眼。他有点困了，伸个懒腰问祁善：“好了吗？”

“你先去睡。”祁善依然埋头苦干。她字写得漂亮，也写得慢，一笔一画认真得很。周瓒关了电脑等着她睡觉，又催促了几次。

他们领证后，沈晓星对周瓒的防备松懈了一些，只要他不光天化日地胡闹，她和祁定都睁一只眼闭一只眼。周瓒卖了隔壁他妈妈留下来的房子，市区的公寓也租了出去，搬进祁善家提前进入入赘状态，日子过得颇为滋润，还主动提出以后有了孩子，姓祁、姓沈、姓冯都无所谓，不生也行，他爸爸那边已经有周子歉兢兢业业地传宗接代。这话让活了大半辈子的沈晓星夫妇也不知该怎么接。祁善居然觉得有点道理，逻辑上也没多大问题。

请柬数量不少，祁善一时半会写不完，周瓒干脆搬了张椅子坐在书桌对面。他倒不是急着做坏事，祁善已经是他的，跑也跑不掉，最初恨不得长在她身上的阶段已经过去了，两人实在太过熟稔，不可能总保持烈火烹油的激情。周瓒最享受的事是和祁善在他们的房间里，彼此做各自的事。他打游戏，玩手机，或者躺在床上什么都不做，祁善在旁边看书，要不就在书桌前忙碌，手里常常无意识地盘一块玉，不需要说太多话，音乐也多余。这个场面外人看来或许极度枯燥，可身处其中，时间仿佛灌了铅的脚，又像思念一个人的步伐，走得极慢极慢，心里静而满，恨不能将一生一世都装进真空的瓶子里。

“咦，这张是给周子歉和阿珑的。”周瓒拣出其中一张请柬说，“我才听嫂子说阿珑还是每天吐吐吐，快把周子歉折腾死了，他们多半回不来。”

子歉和阿珑去了加拿大投奔阿珑的姑姑，换个地方生活是他俩都愿意的事，这边也没什么可留恋的。子歉曾试图力挽狂澜，他有能力，争不过命，周启秀一生的事业还是成了泡影，现在照顾阿珑反而成为子歉生活的重心。

周瓒年前去参加大学同学的聚会，和子歉见了一面。他回来后告诉祁善，那边的生活倒是很适合周子歉，他去的时候子歉在给屋前的草坪浇水，还亲自给周瓒做了一顿饭，与邻居关系也处得不错，比以前活得更有烟火气息。听说他还筹备在社区里开一间中国餐馆，一想到周子歉将要成为餐厅小老板，周瓒就莫名想笑。

“你写得太慢了！”周瓒受不了祁善的速度，决心帮忙，“这样好了，你写我的名字，我写你的，我们流水线作业。”

周瓒说做就做，祁善接过他递来的半成品，上面墨迹未干，她接着往下写很容易把字迹蹭糊了。这样的做法其实一点也不省事，这家伙专帮倒忙。然而祁善看周瓒写得还挺认真，也不好打击他的热情，只在心里想，他的字这么多年也没长进，把她的名字都写丑了。

两人面对面、头碰头地专心干活，周瓒写完最后一个“善”字，长舒口气，笑道：“我想起以前我们一起写作业的情景了。”

祁善看着面前一叠请柬，可不就像她做学习委员时收集的作业本。她没好气道：“我才是写作业，你那叫‘抄’作业。”

“你的不就是我的？早知道我连抄都不用抄，让你写两份。”周瓒的手亲昵地掠过祁善的后脑勺。最后一张干透的请柬上他俩的名字并列——我们于 2 月 25 日举行婚礼，敬备薄酒，恭请光临！

他和她，终于成了“我们”。

“我再给你看一样好东西。”周瓒从抽屉里摸出祁善常用的记事本，翻到某一页，拍在她胸前。祁善拿起来看，那是她摇摆难定时随手写的两句话：

“周瓒是可爱的男人吗？ Yes！”

“周瓒是可靠的男人吗？No！”

后面不知什么时候多了他的补充，依旧是横不平竖不直的字迹：

“祁善是可爱的女人吗？No！”

“祁善是我爱的女人吗？Yes！”

他等待她的反应，脸上扬扬自得。

祁善板着脸说：“不要乱翻我的东西。”

周瓒一路跟着她上了床，死乞白赖地把她身体扳过来，“耳朵都红了，我的境界是不是高尚得让你无地自容？”

“呸，不过是东施效颦。”祁善嘴上这么说，眼里已有笑意。

“实在太感动的话，就替我把全身盘一盘……嘶！要文盘，不要武盘。”

“闭嘴！”

……

很多话，有些说出了口，有些没有；那些年，有时我们靠近，有时远离。是谁说过相爱是场注定会醒的梦？我们一起做梦，但愿一起醒来，还能拥被相依，聊到天明。

图书在版编目（CIP）数据

我们 / 辛夷坞著 . -- 南昌 : 百花洲文艺出版社 ,
2016.1
ISBN 978-7-5500-1550-0

Ⅰ . ①我… Ⅱ . ①辛… Ⅲ . ①长篇小说 – 中国 – 当代
Ⅳ . ① I247.5

中国版本图书馆 CIP 数据核字 (2015) 第 240027 号

出 版 者 百花洲文艺出版社
社　　址 江西省南昌市红谷滩世贸路 898 号博能中心 20 楼　　邮编：330038
电　　话 0791-86895108（发行热线）0791-86894790（编辑热线）
网　　址 http:www.bhzwy.com
E-mail bhz@bhzwy.com

书　　名 我　们
作　　者 辛夷坞
出 版 人 姚雪雪
出 品 人 李国靖
特约监制 何亚娟
责任编辑 游灵通　程　玥
特约策划 何亚娟
特约编辑 燕　兮　凉小小
封面设计 小　贾
封面绘图 邦乔彦
经　　销 全国新华书店
印　　刷 北京建泰印刷有限公司
开　　本 1/32　880mm × 1230mm
印　　张 17.75
字　　数 422 千字
版　　次 2016 年 1 月第 1 版
印　　次 2016 年 1 月第 1 次印刷
定　　价 49.80 元（全二册）
ISBN 978-7-5500-1550-0

赣版权登字：05-2015-430